*Hofmann, Friedr*

# Bayreuth und seine Kunstdenkmale

*Hofmann, Friedrich Hermann*

**Bayreuth und seine Kunstdenkmale**

*Inktank publishing, 2018*

*www.inktank-publishing.com*

*ISBN/EAN: 9783750134003*

# BAYREUTH

## UND SEINE KUNSTDENKMALE.

VON

DR. PHIL. FRIEDRICH H. HOFMANN.

MIT 1 TITELBILD IN KUDKA GRAVÜRE, 1 FARBEN-BEILAGE, 14 TAFELN UND
128 TEXT-ILLUSTRATIONEN.

MÜNCHEN
DRUCK UND VERLAG DER VEREINIGTEN KUNSTANSTALTEN A.-G.
VORM. JOS. ALBERT, KUNSTVERLAG.
1902.

# Vorwort.

„Die wahre Vermittlerin ist die Kunst".

Dieses Wort Goethes möchte ich meinem Buch als Reisepass mit auf den Weg geben. Nichts ist in der That besser geeignet, verbindend und erklärend — vermittelnd — einzugreifen zwischen das Einst und das Heute als das Kunstwerk, das aus seinen Lebensbedingungen heraus ein längst vergangenes Jahrhundert geschaffen hat. Klingt doch gerade hier die Stimmung jener Tage in ihren Grundakkorden volltönend nach, und ihr Geist spricht rückhaltloser und offener und unmittelbarer zu uns als oft aus dickleibigen Folianten. Ein verständiger Blick in eines der capriciösen Rokokoboudoirs offenbart uns mit einem Mal die ganze Festfreudigkeit dieser Periode, ihre prickelnde Frivolität, den entzückenden Leichtsinn, die hinreissende Begeisterungsfähigkeit und das genussfrohe Sichauslebenwollen des galanten Jahrhunderts, ebenso wie ein Gang durch die weihevollen Hallen eines gothischen Doms den ganzen geheimnisvollen Zauber des Mittelalters, sein frommes Gottvertrauen, sein oft unbewusstes Ringen und Streben, seinen treuherzigen Kinderglauben wie im Nachhall wieder in uns wach werden lässt.

Darum darf wohl auch ein Buch, das die Kunstwerke vergangener Jahrhunderte im Bilde vor Augen führt, darauf Anspruch machen, nicht nur eine momentane Vorstellung zu geben, wie jener Bau oder jenes Gemälde oder jene Statue gerade im Augenblick ihres Entstehens ausgesehen haben, oder wie sie sich heute darstellen, sondern es darf auch kühnlich behaupten, dass es dem Leser ein Bruchteil wenigstens der Inhaltswerte jener Jahrhunderte vermittelt, ihm einführen hilft in den Geist einer fernen Zeit.

Ein vollwertiger Ersatz für das Kunstwerk selbst können ja Abbildungen nie sein, fehlt doch in erster Linie meist der Schmuck der Farbe, der besonders auch bei Interieurs aus der Rokokoperiode erst die ganze feinsinnige Pikanterie dieses Stils klar werden lässt. Fehlt doch weiterhin auch vor allem bei photographischen Aufnahmen kleinerer Zimmer der Eindruck des begrenzt Räumlichen, der ebenfalls gerade hier das Insichabgeschlossene, die heimliche Wohligkeit dieser Boudoirs ausmacht. Und nichts kann natürlich das diskrete Parfüm ersetzen, das wie ein leiser Hauch meist noch in wohlerhaltenen Räumen aus dieser Zeit webt und ihren ganzen intimen Reiz erst voll empfinden lässt.

Es ist ein bis jetzt in der kunstgeschichtlichen Forschung so gut wie unbekanntes Gebiet, das wir heute betreten. Abseits der grossen Heerstrassen des modernen Verkehrs hat sich im nordöstlichen Bayern die einstige Residenz der fränkischen Hohenzollern Bayreuth — äusserlich wenigstens — ein gut Teil von der Poesie ihrer glänzenden Vergangenheit zu bewahren gewusst. Was hier kunstsinniger Geist und arbeitsfrohe Hände durch vier Jahrhunderte hindurch fast immer im Dienste eines lebensfreudigen Fürstengeschlechts geschaffen, soll — soweit es sich am Ort seiner Entstehung erhalten hat — auch einmal in Wort und Bild im Zusammenhang eingehender gewürdigt werden.

Man erwarte jedoch kein Inventar, das mit peinlicher Gewissenhaftigkeit alle nur irgendwie bemerkenswerten Kunstschätze aufzählt. Nur das Wichtigste, das Wesentliche ist festgehalten, denn was hier geboten werden soll, mag weiter nichts sein als ein Versuch, das Innenleben eines kleinen Staatswesens, das politisch nicht oder nur beschränkt hervortreten konnte, nach einer Richtung hin wenigstens zu charakterisiren.

Noch ein Wort über das System des Buches! Durch die Einteilung in einzelne Abschnitte, die nach den wichtigsten Denkmalen jeder Stilperiode benannt sind, und durch eine jedesmalige entsprechende Einleitung hoffte ich das zu erreichen, was ich bereits Eingangs angedeutet habe, die Einführung des Lesers in das wechselnde Milieu, aus dem heraus das betreffende Kunstwerk entstanden ist — oder vielleicht auch naturnotwendig in dieser oder einer nur wenig anderen Form entstehen musste. Die Hauptdenkmale, um die sich die anderen, weniger bedeutenden gruppiren, reihen sich chronologisch aneinander. Das Ganze einzuleiten, möge wieder der erste Abschnitt „Die Stadt und ihre Fürsten" dienen, der keine trockene Aufzählung geschichtlich wichtiger Daten bringen, sondern einen Ueberblick geben soll über das Zusammenwirken aller jener Faktoren, welche die Entwicklung des städtischen Gemeinwesens und der fürstlichen Hofhaltung grundlegend beeinflussten.

Dass bei der Besprechung der Einzelheiten dann die Herrschaftszeit der Rokokokunst vor allem in den Vordergrund treten musste, ist selbstverständlich, nachdem ja diese kurze, aber inhaltsreiche Epoche in der Hauptstadt des Fürstentums Brandenburg-Kulmbach die prunkendsten, originellsten und besterhaltenen Schöpfungen zurückgelassen hat. Die Beschränkung dagegen auf die Kunstwerke bis zum Ende des 18. Jahrhunderts erklärt sich von selbst aus der Thatsache, dass eben mit dem Ausgang desselben auch die zweite grosse Periode in der Entwicklung der Stadt — ihre Stellung als fürstliche Residenz — abschliesst. Das einzigemal, wo von diesem Princip abgewichen wurde, geschah es, um auch dem Nachklang jener Blüthezeit aus der Mitte des 18. Jahrhunderts sein Recht werden zu lassen und das Gesamtbild entsprechend abzurunden.

Bei der Wahl der Abbildungen wurde, soweit es sich nicht um Architekturen handelte, vor allem darauf Gewicht gelegt, nur solche Kunstwerke zu bringen, die mit dem früheren Besitz der fränkischen Hohenzollern in Verbindung standen. Deshalb sind von Gemälden meist nur Porträts der fürstlichen Familie aufgenommen worden oder Bilder, die nachweisbar schon im 18. Jahrhundert Eigentum der Markgrafen gewesen sind. Ausstattungsstücke der Eremitage und des neuen Schlosses, die erst später durch die k. b. Central-Staats-Gemäldegallerie oder den k. b. Obersthofmeisterstab nach Bayreuth gekommen sind, blieben unberücksichtigt; es konnte dies um so leichter geschehen, als es sich ja hier auch nicht gerade um bedeutende Kunstwerke handelt, deren Uebergehen eine Lücke in die Darstellung reissen würde. Hier mag noch bemerkt werden, dass alle Abbildungen mit verschwindend wenigen Ausnahmen zum erstenmale veröffentlicht werden.

Nach dem fürtrefflichen Rat Philanders von Sittewald fürs Reisen will ich auch meinem Buch nicht allzu viel Gepäck aufbürden, keine lehrhaften Anmerkungen, keine polemisirenden Controversen, keine stilistischen Detailuntersuchungen. Den Gang der hier in ihren Resultaten verwerteten Forschung mag man anderwärts nachlesen, wo man dann auch das wissenschaftliche Rüstzeug und die notwendigen Belegstellen finden wird.

Für die politische Geschichte der Stadt Bayreuth während des hier in Betracht kommenden Zeitraumes ist immer noch Holle's grundlegende „Alte Geschichte der Stadt Bayreuth" (Bayreuth 1833) das einzige Hülfsbuch; über die kurze Glanzperiode während der Regierung des Markgrafen Friedrich (1735—1763) unterrichtet jetzt am besten Festers befreiende Schrift „Die Bayreuther Schwester Friedrichs des Grossen" (Berlin 1902). Was aber die kunstgeschichtliche Würdigung der besprochenen Denkmale betrifft, so darf ich wohl auf meine hier einschlägigen Arbeiten verweisen: „Die Kunst am Hofe der Markgrafen von Brandenburg, fränkische Linie" (Studien zur deutschen Kunstgeschichte. Heft 32. Strassburg, Heitz. 1901) und „Die Stadtkirche in Bayreuth" (Archiv für Geschichte und Altertumskunde von Oberfranken. 21. Bd. Heft 3. 1901).

Den Dank für so manche liebenswürdige Unterstützung, den ich bereits anderwärts wiederholt auszusprechen Gelegenheit hatte, möchte ich auch hier kurz, aber nicht minder herzlich wiederholen!

München, am 1. Juni 1902.

Friedrich H. Hofmann.

# INHALT.

# Verzeichnis der Abbildungen.

## Tafeln.



## Text-Illustrationen.



Die mit * bezeichneten Abbildungen sind nach photographischen Aufnahmen von H. Brand, Hofphotograph, Bayreuth, hergestellt.

1. Markgräfliches Wappen über der Bühne des Opernhauses.

# Die Stadt und ihre Fürsten.

Die Geschichte der Stadt Bayreuth beginnt mit ihrem Anfall an die Burggrafen von Nürnberg im Jahre 1248. Was vor dieser Zeit in nebelgrauer Ferne liegt, ist bis heute noch unaufgeklärt geblieben. Es ist jedoch eine ansprechende Vermutung, dass die Stadt, einst Baierrute — Reut der Bayern — genannt, ihre Gründung den bayerischen Grafen von Andechs und Diessen verdankt, den Meraner Herzogen, die zuerst mit der Grafschaft im Rednitzgaue und nach dem Aussterben der Grafen von Frensdorf in der zweiten Hälfte des 12. Jahrhunderts von den Bamberger Bischöfen mit der Grafschaft und dem Landgericht in der ganzen Diözese waren belehnt worden. Dem Main, der Pfaffengasse Frankens, entlang war Christentum und damals gleichbedeutend Kultur in die entlegenen Slavenlande eingedrungen, und von Bamberg aus, wo zu Beginn des 12. Jahrhunderts der grosse Bekehrer Otto auf dem bischöflichen Stuhl sass, ging die Christianisierung des östlichen Frankens und die Ansiedlung germanischer Kolonisten langsam vor sich. Diesen Bemühungen verdankt auch das alte Bayreuth, das zweifellos an der Stelle der jetzigen Altenstadt lag, seine Entstehung. Wenn es auch zum erstenmal urkundlich erst im Jahre 1194 erwähnt wird, so ist trotzdem keineswegs unwahrscheinlich, dass es vielleicht doch schon zu Anfang dieses Jahrhunderts entstanden ist, wenn anders die Thatsache, dass die dortige Kirche mit ihren beiden Westtürmen anscheinend das Bausystem der weltberühmten Hirsauer Kongregation festhält, als Beweismittel beigezogen werden darf. War es doch gerade Otto der Heilige, der die Kunst der Hirsauer von Schwaben nach Franken verpflanzt hat.

I

Unweit der ersten Niederlassung gründete Domprobst Poppo von Bamberg, ebenfalls ein Andechser, deren Herrschaft im östlichen Franken sich rasch gefestigt und verbreitet hatte, ums Jahr 1230 ein Jagdschloss; an die kleine Burg gliederte sich bald eine neue Siedlung an, die man einfach nova villa, „das Neudorf“, zubenannte.

Erst nach des letzten Meraner Herzogs Ottos VIII. Tod im Jahre 1248 gewann diese unscheinbare namenlose Ortschaft eine höhere Bedeutung. In den Fehden und Wirren, die sich um die reiche meranische Erbschaft entspannen, wusste sich Burggraf Friedrich III. von Nürnberg, einer der Eidame des Andechsers, dort oben nördlich seines Hauptsitzes einen Fetzen Landes als Beutestück zu sichern. Das Organisationstalent, das von alters her die Hohenzollern auszeichnet, liess den Burggrafen alsbald das nicht sonderlich umfangreiche Gebiet zu einer selbständigen Herrschaft abrunden. Als Mittelpunkt des kleinen neuen Reiches wurde dann Poppo's junge „nova villa“ ausersehen, in richtiger Erkenntnis ihrer günstigeren Lage am Main und an den uralten Handelsstrassen nach Böhmen und Thüringen. Von der älteren, knapp eine Wegstunde entfernten Ortschaft Baierrute wurde

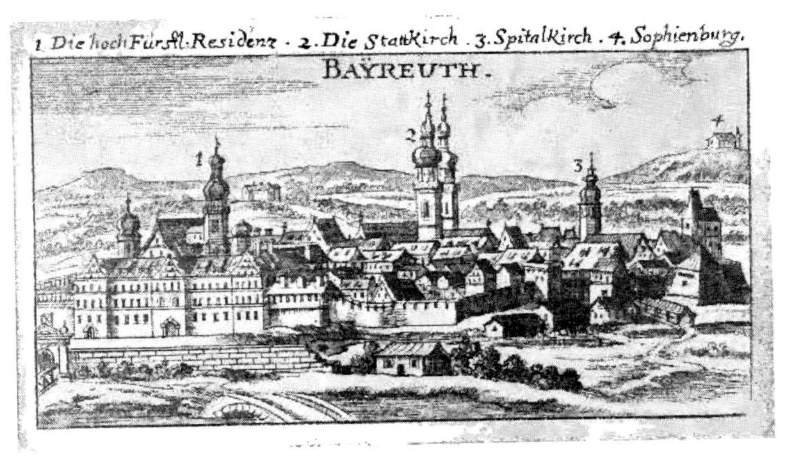


2. Ansicht der Stadt Bayreuth im 17. Jahrhundert.
Anonymer Kupferstich. Sammlungen des hist. Vereins von Oberfranken

dann neben den anderen fürstlichen Behörden Gericht und Pfarrei herübergenommen in die neue Stadt, auch der alte Name Baierrute wurde ihr beigelegt, während sich die Mutterstadt von jetzt ab mit der einfachen Bezeichnung „Altenstadt“ begnügen musste, ein Vorgang, den wir fast um die gleiche Zeit an einer ganzen Reihe anderer Städte, wie Villingen, Pfaffenhofen und besonders auch Schongau beobachten können.

Wie die Macht der Nürnberger Burggrafen im 13. und 14. Jahrhundert frisch und fröhlich emporstrebte und — nach dem köstlichen Ausdruck Ludwig von Eyb's — aufwuchs „zwischen Dorn und Distel, als Rosen oder gut plumen zwischen Dorn und Distel auffwachsen“, so nahm auch ihre Stadt Bayreuth während dieser Zeit einen bemerkenswerten Aufschwung in politischer und wirtschaftlicher Beziehung, besonders als nach dem Verkauf der alten Nürnberger Stammburg (1424) die fränkischen Hohenzollern den Schwerpunkt ihrer Herrschaft mehr nach Norden, nach Bayreuth und nach der von den Orlamündern überkommenen Bergveste Plassenburg verlegten. Ein herrschaftlicher Vogt wird in Bayreuth eingesetzt (1296 zum erstenmal urkundlich erwähnt), ein Kastenamt errichtet, ein notarius angestellt und Münzrecht sogar für Dukaten vom Kaiser erworben.

Tafel 1.

**Markgraf Friedrich.**

Gemalt von Hofmaler Matthias Heinrich Schnürer 1755.

Bayreuth, Neues Schloss.

Ein unglückliches Ereignis, die Zerstörung und Plünderung im Hussitenkrieg (1430), konnte die Stadt in ihrer fortschreitenden gedeihlichen Entwicklung auch nur um wenige Jahre zurückwerfen. Bald kehrten die geflüchteten Bürger wieder und bauten ihre abgebrannten Heimstätten und ihr Gotteshaus, grösser und schöner als es vorher gewesen war, wieder auf, hülfsbereit auch hier unterstützt und gefördert durch fürstliche Fürsorge.

Auch Albrecht Achilles (1457—1486), zweifellos der bedeutendste politische Kopf unter den fränkischen Hohenzollern, wusste seiner guten Stadt Bayreuth manche Förderung angedeihen zu lassen; noch heute führt sie das „verbesserte" Wappen mit dem burggräflichen Löwen und dem Zollernschild, das ihr als einer „der eltisten und wesentlichsten Stadt" der Kurfürst im Jahre 1457 verliehen hatte. (Farbige Abb.)

Unter Albrecht Achilles' Nachfolgern, denen durch die „dispositio Achillea" die fränkischen Lande zugeteilt worden waren, hatte scheinbar Friedrich d. Ae. (1486—1515) eine besondere Vorliebe für Bayreuth; soll er doch während seiner Regierung nicht weniger als 2000 Goldgülden auf Verschönerung und Vergrösserung der Stadt verwendet haben.

Aber noch während Friedrichs d. Ae. Regierungszeit zu Anfang des 16. Jahrhunderts lagen Fürst und Volk tief im Banne des Mittelalters und seiner Anschauungen. Zwar waren schon einmal durch besonders glückliche Umstände Verbindungen mit dem Italien des Quattrocento geschaffen worden, um 1433, als Markgraf Johann Alchymista (1440—1457) seine Tochter Barbara an Ludovico Gonzaga verheiratete. Ein schüchterner Vorbote der Humanisten Ariginus hauste bereits ums Jahr 1456 weltvergessen auf der Plassenburg, und vielleicht hat der Alchymist auch zu seinen Schlössern, die er in Bayersdorf und Bayreuth (1441) errichtete, über die Alpen schon welsche Meister berufen, die er an dem Musenhof der Mantuaner Herzoge geworben hatte.

Auf ihren Zeitgenossen Friedrich d. Ae. aber hatten anscheinend nicht einmal die grossen Nürnberger Meister um Dürer und auch nicht dieser selbst einen wesentlichen Einfluss gehabt. Erst unter den Söhnen dieses Markgrafen spürte man auch in unseren Landen einen Hauch des neuen Geistes. Kasimir (†1527) zwar steht noch an der Schwelle; aber schon sein Bruder Georg (1515—1543), dem die Nachwelt den Beinamen des Frommen gegeben hat, brach gänzlich mit den mittelalterlichen Traditionen überall, in Kunst und Wissenschaft, in Religion und Sitte. So kam auf ihrem Siegeszuge auch Luthers Lehre ins Land. In Bayreuth scheint die grosse Umwälzung, auf die ja schon das ganze 15. Jahrhundert langsam, aber umso gründlicher vorbereitet hatte, allerdings nicht ohne manche Wirren und Schwierigkeiten vor sich gegangen zu sein.

3. **Markgraf Christian (1603—1655).**
Holzgeschnitztes Medaillon von der ehemalig. Orgel der Stadtkirche (um 1654). Sammlung Giessel, Bayreuth.

1*

Wenig Glück brachte der wilde Albrecht Alcibiades (1527—1557), des Markgrafen Kasimir einziger Sohn, seiner Stadt Bayreuth. Den kleinen Vorteil, dass im Jahre 1542 die Hofkanzlei von Kulmbach hieher verlegt wurde, machte rasch wieder die Belagerung und Plünderung wett, unter der die Stadt im bundesständischen Krieg zu leiden hatte. (1553). Aber wie überall in seinen Landen, so wusste auch hier Albrechts Nachfolger

4. Schlossbrunnen mit der Statue des Markgrafen Christian Ernst.
Errichtet von Elias Ranz nach Plänen des Hofbaumeisters Leonhard Dientzenhofer (1698—1700).

Georg Friedrich (1557—1603) die Leiden zu lindern und den Schaden, den sein Vetter durch seine Abenteuerlust allenthalben angestiftet hatte, wieder gut zu machen.

Was dieser Fürst und die meisten seiner Regierungsnachfolger für die Kunst — und hier wieder vor allem für die Stadt Bayreuth — gethan haben, wird im Folgenden bei der Besprechung der einzelnen Denkmale eingehender zu erörtern sein.

Nach Georg Friedrichs kinderlosem Tod im Jahre 1603 fiel sein Besitz an die Kurlinie, aus der dann Christian, der Sohn des Kurfürsten Johann Georg, das Land „oberhalb gepirgs" wieder als selbständiges Fürstentum erhielt. Erst diesem Markgrafen (1603—1655) (Abb. 3) blieb es vorbehalten, Friedrichs d. Ae. Lieblingsplan auszuführen, die Verlegung der fürstlichen Residenz von der alten Bergveste Plassenburg nach der aufblühenden Stadt am Ufer des roten Mains. Sofort nach seinem Regierungsantritt bestimmte er Bayreuth als Hauptstadt seines Fürstentums. Von diesem Zeitpunkt ab ist die Geschichte der Residenz im wesentlichen gleichbedeutend mit der Geschichte der fürstlichen Hofhaltung.

Wechselvolle Geschicke teilte die Stadt mit ihrem Fürstenhaus; die eigentliche Blütezeit aber beginnt für sie erst thatsächlich mit dem 17. Jahrhundert. Christians Umsicht und kluge Politik suchte der Stadt, die schon zu Anfang des Jahrhunderts durch zwei verheerende Brände schwer zu leiden gehabt hatte, die Schrecken des dreissigjährigen Krieges zu mildern; auch nach dem Friedensschluss wusste der Fürst durch verständige Massnahmen dem trotzdem sehr geschädigten städtischen Gemeinwesen wenigstens einigermassen wieder aufzuhelfen. Die letzten Spuren des deutschen Krieges jedoch konnte erst Christians Enkel und Nachfolger Christian Ernst (1655—1712) verwischen, ein Mann, der die ganze handfeste, dabei doch prunkliebende und aufstrebende Gesinnung des 17. Jahrhunderts sehr charakteristisch repräsentiert. (Abb. 5.) Bayreuth verdankt ihm vor allem das heute noch blühende „illustre collegium Christiano-Ernestinum". Und sein Andenken als Türkenbezwinger hält noch der echt barocke Schlossbrunnen wach, der den Markgrafen über den Personifikationen der vier bedeutendsten Flüsse seines Landes darstellt, hoch zu Ross, wie er den besiegten Türken niedertritt. (Abb. 4.)

5. **Markgraf Christian Ernst (1655—1712).**
Sammlung Giessel, Bayreuth.

Der immer weiter um sich greifende Einfluss Frankreichs, der schon bei Lebzeiten Christian Ernsts angepocht hatte, fand unter seinem Sohne Georg Wilhelm (1712—1726) (Abb. 6) allenthalben Thür und Thor geöffnet.

Besser hätte in Bayreuth das genussfrohe Jahrhundert nicht eingeleitet werden können, als durch Georg Wilhelms glänzende Regierungszeit mit ihrer ununterbrochenen Feststimmung, der dann die Lebensführung seines Nachfolgers Georg Friedrich Karl (1726—1735) einen so drastischen Kontrast entgegensetzte. Hallenser Pietisten zogen in Bayreuth ein, fast ehe noch die letzten der welschen Künstler, Schauspieler, Sänger und Musikanten auf ausdrücklichen Befehl des Fürsten die Stadt verlassen hatten. Durch andere verständige Einrichtungen jedoch, wie Gründung der sog. Kanzleibibliothek, Stiftung des Waisenhauses wusste sich der etwas absonderliche Fürst viele Verdienste um Stadt und Fürstentum zu erwerben. Ihm folgte sein einziger Sohn Friedrich, der Vielgeliebte (1735—1763).

Wie fast ein jedes von den paar hundert deutschen Vaterländchen hat auch das Fürstentum Brandenburg-Kulmbach seine kurze „augusteische" Epoche, welche die fränkische Residenz aus ihrer beschaulichen Kleinstadtruhe heraussreissen und sie für einen Augenblick zu einem Mittelpunkt geistigen und künstlerischen Lebens umgestalten sollte. Die Thatsache, dass eben diese Periode in Bayreuth mit der Thronbesteigung des Markgrafen Friedrich (Tafel 1) beginnt, und hier eine Kunstblüte hervorgebracht hat, der weitaus die zahlreichsten und wichtigsten Denkmale dort zu danken sind, berechtigt zweifellos, bei diesem Fürsten und seiner Zeit etwas länger zu verweilen.

Am 17. Mai 1735 trat Friedrich, der Bayreuther Augustus, wie er von seinen

6. **Markgraf Georg Wilhelm als kais. Generalwachtmeister in der Uniform des fränkischen Kürassierregiments.**
Sammlungen des hist. Vereins von Oberfranken.

Schmeichlern genannt wurde, als 24jähriger Jüngling die Regierung seines Fürstentums an; vier Jahre vorher schon hatten ihm ganz verfahrene politische Kombinationen eine Gattin zugeführt in der Person der preussischen Prinzessin Friederike Sophie Wilhelmine, der Tochter des Königs Friedrich Wilhelm I. (Tafel 2.)

Selten sind wohl zwei Menschen, die sich fürs Leben verbanden, in den tiefinnerlichen Grundzügen ihrer Charaktere verschiedener gewesen, als der fränkische Junker und

7. **Markgräfin Elisabeth Friederike Sophie.**
Eremitage. Oberes Schloss.

die preussische Königstochter; und trotzdem haben sich auch hier die Extreme in einem Punkte gemeinsamer Neigungen berührt, in der Freude an Glanz und Prunk und fürstlicher Repräsentation und in der Liebe zur Kunst. Aber bezeichnender Weise ist hier der überlegene Geist und der stärkere Wille die Frau, der Fürst und Volk sich mehr als zwei Jahrzehnte lang widerstandslos unterworfen haben. Des grossen Friedrich grosse Schwester war es, die in allerpersonlichstem Mitschaffen die kurze Glanzzeit Bayreuths hervorgerufen hat, die wie ein spruhendes Feuerwerk aufflammte, gleisste und erlosch.

Es ist eine merkwurdige Persönlichkeit, die uns hier entgegentritt, unfassbar beinahe und unbegreiflich, und doch wieder so anziehend und fast berückend in ihrer wechselnden Gestalt. Erst in neuester Zeit ist mit vielem Glück der Versuch gemacht worden, uns den Charakter der Fürstin menschlich näher zu bringen, der dem Historiker und dem Psychologen schon so manches Ratsel aufgegeben hat. So viel Urteile aber auch von Zeitgenossen und späteren Forschern über diese Frau gefällt worden sind, keines der unrichtigsten und uninteressantesten ist sicher jenes, das der Generalissimus der Reichsarmee, Prinz Joseph Friedrich von Sachsen-Hildburghausen — allerdings nach damaliger Soldatenart etwas rauh und ungeschliffen — abgegeben hat, wenn er (in einem bis jetzt unveröffentlichten Brief des Wiener Kriegs-Archivs v. J. 1757) an den Reichsvicekanzler Colloredo schreibt: „cette femme a le diable au corps".

8. Kleopatra. Pastellgemälde von der Hand der Markgräfin Friederike Sophie Wilhelmine. Bayreuth, Neues Schloss.

Und in der That, es ist, wie wenn ein gewisser innerer, nervöser Drang diese Frau während ihres ganzen Lebens nicht habe zur Ruhe kommen lassen und sie immer und immer wieder Neuem, noch nicht Gesehenem und Gekanntem, ungelösten Problemen entgegengetrieben hätte. Ist sie doch auch mit einer Vielseitigkeit, die selbst in unserem beweglichen Zeitalter noch in Erstaunen setzen muss, in den heterogensten Gebieten zu hause. Heute disputiert sie mit Voltaire über epikuräische Lebensanschauungen, morgen erfindet sie einen Lack zum Anstreichen von Zimmern; einmal entwirft sie eigenhändig die Pläne zur Verschönerung und Vergrösserung ihrer Lieblingsschöpfung Eremitage, das andere mal setzt sie den geriebenen La Groze mit der Frage, ob sich das Dasein Gottes geometrisch beweisen lasse, in nicht geringe Verlegenheit. Dann wieder dichtet sie ein paar lyrische Verslein, kopiert van Dyck und andere Meister, oder malt Pastellporträts, oder sie schreibt Dramen, die sie selbst in Musik setzt; und zwischenhinein wird unter dem Pseudonym der Schwester Mezzetino's ungeniert drauflos politisiert.

Die Qualitäten der Markgrafin als Malerin, die uns ja hier am meisten interessieren, scheinen übrigens nicht ganz unbedeutende gewesen zu sein, wenigstens nach einigen Pastellgemälden zu urteilen, die ich an Hand eines alten Inventars aus dem Jahre 1793 ganz versteckt in einem Dienerzimmer des neuen Schlosses aufzufinden das Glück hatte. Es sind drei Bilder mit Sujets aus dem Ideenkreis des klassischen Altertums, Kleopatra (Abb. 8),

Lukretia (Abb. 9) und Cimon im Gefangnisse; ob die Markgrafin hier aus sich selbst heraus geschaffen oder einen Meister der italienischen Schulen des 18. Jahrhunderts kopiert, etwa Battoni oder Pietro Rotari oder einen Nachstreber Guido Reni's, konnte ich leider nicht feststellen.

Auch Markgraf Friedrich bethatigte sich selbst als ausübender Kunstler; soll er doch allerhöchst eigenhändig in der von ihm gegründeten Kunstakademie die Schuler im Aquarellmalen unterrichtet haben. Eine Oelskizze, vielleicht ein Apostelporträt nach Mengs aus dessen früherer Periode (Abb. 10), fand ich in den Sammlungen des historischen Vereins; die Markgräfin selbst hat es in ihrer grossen, etwas steifen Handschrift mit F. M. Z. B. bezeichnet.

Es ist uns ein gar lustsam zu lesendes Festgedicht erhalten geblieben, „Bayreuth, der Künste Sitz" betitelt, das zu Erlangen im Jahre 1757 ein „der heiligen Gottesgelahrtheit Beflissener" verbrochen hat. Die holperigen, auf dem Kothurn schwülstiger Phrasen einherstolzierenden Alexandriner führen den Leser vor den Parnass, wo Apoll gerade „aus dem Darm mit neuerschaffenen Thönen entzückendes Gefühl in die bewegte Brust flösst". Plötzlich aber gerät der Gott in arge Verlegenheit; weiss er doch nicht mehr, wohin er sich nun mit seinen Musen wenden soll, nachdem „das ganze Chor" aus allen Landen schon, aus Hellas, Rom und Frankreich selbst vertrieben worden ist. Auch „Preussens Friederich, der jetzt mehr in dem Felde blitzet, als mit den Musen singt", kann den Heimatlosen beim besten Willen kein Asyl gewähren. Aber bald weiss Apoll Rat: Auf zu einem anderen fürstlichen Mäcen, zu einem anderen Friedrich! „So kommt, seht sein Bayreuth!"

9. Lukretia. Pastellgemälde von der Hand der Markgräfin Friederike Sophie Wilhelmine. Bayreuth, Neues Schloss.

„Die feine Baukunst blüht; die Schule guter Sitten,
Das Schauspiel, trotzet Rom, dem Franzmann und dem Britten.
Die Thonkunst steigt empor und wird am Hof verehrt,
Zumal wenn er erstaunt des Prinzen Flöte hört,
Und wenn Sophie spielt . . . .
Baireuth, dein FRIEDRICH bringt dir Ansehn, Ruhm und Glück.
Heisst Ihn die Wissenschaft den Friedrich der Brennen,
So muss der Kunstler Ihn jetzt seinen Ludwig nennen.
Er ist in beiden gross, wenn er die Kunste schutzt,
Und wenn er für sein Land im Kabinette schwitzt.

Wie werden unter ihm die freyen Künste bluhen!
Er wird sich Rafaels und Brüns und Bernins ziehen — —
Gelehrte Schwestern auf! lasst uns das Schlachtfeld fliehen,
Zum Freund der Wissenschaft, zu Culmbachs Friedrich ziehen!"

Ganz so grossartig und glänzend, wie diese Dithyramben in ihrem höfischen Schmeichlerton es zu schildern wissen, war das Kunstleben unter Markgraf Friedrich in der Hauptstadt des Fürstentums Brandenburg-Kulmbach allerdings gerade nicht, und es ist schliesslich auch weiter nichts als eine liebenswürdige Phrase, wenn Voltaire 1752 schreibt, dass „ehedem die Dichter und Künstler nach Neapel, Florenz oder Ferrara gehen mussten, während jetzt ihr Reiseziel Bayreuth wäre"; aber zweifellos hat das fränkische Mäcenatenpaar es verstanden, sich in seiner kleinen Residenz einen vielgerühmten und vielumneideten Musenhof zu schaffen. Allein schon die Thatsache, dass jährlich 50000 Gulden nur für das Baudepartement ausgesetzt waren, ein Budget, das naturgemäss immer überstiegen wurde, lässt einen Rückschluss auf die übrigen Aufwendungen für künstlerische Bestrebungen zu. Markgraf Friedrich hat ja auch — ganz abgesehen von seinen sonstigen Unternehmungen und seinen Bauten, die im Folgenden eingehender besprochen werden sollen — in seinen Landen eine ganze Reihe trefflicher Schöpfungen ins Leben gerufen, die leider auf einen Boden verpflanzt worden sind, auf dem sie nicht immer die notwendigen Vorbedingungen zu gedeihlicher Entwicklung vorfinden konnten. Für die bildenden Künste wurde eine „Malerakademie" geschaffen, für die Wissenschaften die Universität Erlangen gegründet. Eine eigene „französische Comedie" wurde zusammengestellt, eine Musikakademie eingerichtet und die italienische Oper in künstlerischer und technischer Hinsicht einer ziemlichen Vollendung nahegebracht. Und all das geschah in einem Zeitraum von kaum 20 Jahren, in einem Ländchen, das knapp 65 Quadratmeilen gross war und nicht viel mehr als 180000 Einwohner zählte!

10. Oelskizze von der Hand des Markgrafen Friedrich. Sammlungen des hist. Vereins von Oberfranken.

Dass es dabei natürlich um die Finanzen nicht zum besten bestellt war, wird nicht überraschen, und es ist schliesslich nicht einmal erstaunlich, dass sich trotz eines jährlichen Einkommens von über 1 Million Gulden beim Tode des Markgrafen eine Schuldenlast von 4700000 Reichsthalern vorfand; wie ein Witz klingt's da noch, wenn diesen Ausständen gegenüber der Barbestand der Hauptrenteikasse — 40 fl. — verrechnet wird.

Unter dieser fürstlichen Prunkliebe und Verschwendungssucht hatte natürlich das kleine Land selbst schwer zu leiden. Immer und immer wieder werden neue Umlagen und neue Steuern eingetrieben, Schlossbaugelder und ähnliche Auflagen ausgeschrieben, und gar rührend sind oft die „allerunterthänigstgehorsamsten" Eingaben zu lesen, durch die besonders die ganz verarmte Landbevölkerung gegen dieses Ausbeutungssystem zu remonstrieren suchte, um ihre soziale Lage wenigstens einigermassen zu verbessern.

Aber andererseits sind doch auch heute alle diese Wunden längst wieder verheilt;

Tafel 2.

Markgräfin Friederike Sophie Wilhelmine.
Bayreuth, Neues Schloss.

Motive und weniger ideale Begleitumstände sind getilgt und vergessen. Und ist auch gar viel von dem, was damals in heiterer Geniesserlaune geschaffen ward, im Laufe eines ernster und nüchterner denkenden Jahrhunderts zu Grunde gegangen, manches ist uns doch noch — gleichsam wie ein monumentales Grabdenkmal — erhalten geblieben, dass es auch dem Nachgeborenen vergönnt sei, einmal einen wehmütigen Blick zu thun in jene lichten, lebensfrohen Tage.

Nach Friedrichs Tod im Jahre 1763 — die Markgräfin war schon im Jahre 1758 gestorben — kam ein vergrämter, missmutiger Oheim zur Regierung, Friedrich Christian (1763—1769), der nur einen Vorzug hatte, den der Sparsamkeit, eine bei Fürsten ziemlich seltene Eigenschaft, die allerdings gerade damals gar sehr von nöten war. Als auch dieser kinderlos gestorben war, fiel Stadt und Fürstentum dem Ansbacher Markgrafen

11. Bayreuth. Marktplatz mit Rathaus.

Alexander zu, der sich „mit seinem englischen Herzen und seiner französischen Erziehung" in seinen deutschen Landen nie sonderlich wohl gefühlt hat. Im Jahre 1791 trat er denn auch die beiden Fürstentümer an Preussen ab. Die aufregende Zeit, die bald darauf folgte, bis das Land endlich durch den Frieden von Schönbrunn an Bayern kam hat Bayreuth empfindlich geschädigt und die Stadt auch um manches künstlerisch sehr wertvolle Schmuckstück gebracht.

Das 19. Jahrhundert aber sah dann das stete Aufblühen wieder, zu dem ein günstiger Zufall und ein genial schaffender Geist den Grund gelegt. Aber trotz einer rüstig fortschreitenden Vergrösserung hat sich in der älteren, inneren Stadt — äusserlich wenigstens — nicht viel verändert; ein grüner Gürtel von Vorstädten umgibt sie wie ein schützender Wall. Mag auch in Einzelheiten viel gesündigt worden sein, dort, wo sich das höfische

Leben des 18. Jahrhunderts konzentrierte, die Stadtteile um das alte und das neue Schloss sind für den Gesamteindruck fast unversehrt erhalten geblieben.

Und wenn heute „Bruder“ Voltaire seine so oft diskutierte Wallfahrt zu „Unserer Lieben Frau von Bayreuth“ noch einmal ausführen würde, wenn dann die Markgräfin ihrem Freund und Lehrer — wie einst — die Schönheiten und die allerliebsten Siebensachen ihres kleinen Reiches und seiner Hauptstadt nicht ohne einen Anflug von Schöpferstolz zeigen könnte, weder der liebenswürdige Spötter noch die vielgewandte Landesherrin selbst würden sonderlich erstaunt sein über die Veränderungen, die sie vorfänden. Leis webt über Bayreuth noch heute der bestrickende Zauber der kleinen verlassenen Rokoko-Residenz, und immer ist es noch, was es für Voltaire einst gewesen, eine „wunderliebliche, stille Stadt“.

# Die Stadtkirche.

Eng mit der Geschichte der Stadt sind die Schicksale ihrer Hauptkirche verknüpft. Wohl bald nach Verlegung des städtischen Gemeinwesens aus der jetzigen Altenstadt in die „nova villa“ am roten Main war dort auch eine neue Kirche gegründet und mit der gleichfalls transferierten Pfarrei begabt worden (nach 1248). Auch künstlerisch scheint das erste Bayreuther Gotteshaus eine Tochter der ehrwürdigen Kirche des heiligen Nikolaus in der Altenstadt gewesen zu sein; hält sie doch an dem für die Hirsauer Bauschule charakteristischen Grundriss einer Säulenbasilika mit zwei Westtürmen und einer Vorhalle sogar für den Bau des Uebergangsstils im 13. Jahrhundert fest. Von dieser älteren Kirche in Bayreuth selbst hat sich jedoch bis heute höchstens das Fundament der Westtürme erhalten.

Der Aufschwung, den die Stadt während des 14. Jahrhunderts nahm, liess natürlich auch ihre Bevölkerung ständig wachsen und damit das Bedürfnis und den Wunsch nach

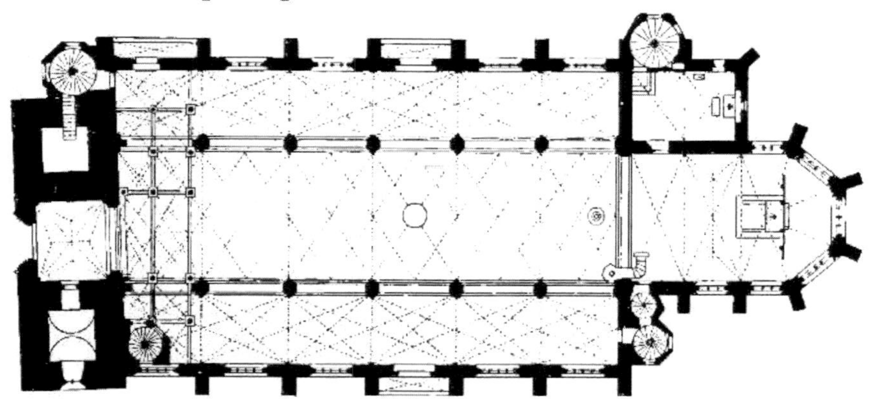

12. Stadtkirche. Grundriss.

einer grösseren prächtigen Kirche entstehen. Reiche fürstliche Schankungen und private Vermächtnisse ermöglichten so schon damals den Anbau einer umfangreichen Choranlage an die alte Kirche. Ihr Meister ist unbekannt geblieben.

Wie aber für die Stadt selbst, der er zu einer Umarbeitung und Verbesserung ihrer Verfassung verholfen, hat auch für die Kirche in Bayreuth der Hussitensturm des Jahres 1430 im Grund genommen nur Vorteile gebracht. Es war zwar „von denen Ketzern“ das Gotteshaus „schwerlichen ausgebrandt“ worden, aber andererseits auch dadurch Veranlassung gegeben, umfassende Umbauten an der alten Kirche in Angriff zu nehmen. Kaum hatte ein „Bettelbrief", den Kurfürst Friedrich I. seiner guten Stadt ausgestellt und ein Kollektenpatent, das Bischof Anton von Bamberg ausgefertigt (1433), einen Teil der nötigen Gelder zusammengebracht, als man auch schon mit den Bauarbeiten an der Pfarrkirche begann. Mit liebevoller Behaglichkeit hat man ein Menschenalter lang damit zugebracht (1438—1468).

13. Stadtkirche. Kreuzigungsgruppe am Chor.

Die rührende Opferwilligkeit, die sich bei allen Kirchenbauten des Mittelalters so charakteristisch äussert, lässt sich auch in Bayreuth leicht an Hand der noch erhaltenen Rechnungsbücher der Gotteshausmeister verfolgen. Gar treulich findet sich da alles aufgezeichnet, wie einer seinen Mantel hergegeben, oder ein Jungfräulein ihren Schleier, eine Matrone ihr „Paternoster" geopfert hat. Mit „Gabe, Rath und hilfe und gemainem Almosen" der ganzen Bevölkerung ist auch dieses Gotteshaus entstanden.

Von Bamberg, der Bischofsstadt, berief man im Jahre 1438 einen wohl schwäbischen Meister mit Namen Oswald zum Bau; sieben Jahre lang stand er der „stanhuten", der Bayreuther Bauhütte, vor. Während dieser Zeit wurde vor allem die Vorhalle zwischen den beiden Westtürmen erneuert und mit einem schönen Portal ausgestattet; weiterhin wurde das nördliche Seitenschiff in den Jahren 1440—1442 hinausgerückt, um mehr Raum im Innern zu gewinnen, und der Südturm auf dem alten Fundament ausgebaut (1444).

Nach Meister Oswalds Tod im Jahre 1445 übernahm sein bisheriger Altgeselle Hans Pull die Leitung des Baues. Er vollendete zunächst den von seinem Vorgänger begonnenen

14. Stadtkirche. Fries am Südturm.

Südturm (bis 1448), baute in den Jahren 1454 und 1455 den nördlichen Turm ebenfalls aus und gab endlich dem südlichen Seitenschiff die Gestalt des gegenüberliegenden, das schon 15 Jahre vorher umgeändert worden war. Die Einwölbungsarbeiten zogen sich hier noch bis 1468 hinaus, mit welchem Jahre die Bauthätigkeit zu schliessen scheint.

Spätere Jahrhunderte haben an dem Aeusseren der Kirche nicht mehr viel geändert; Erwähnung verdient höchstens hier noch das sog. Brautthürchen in zierlicher Renaissance, das ums Jahr 1575 vielleicht Meister Jörg Matthes von Freiburg (?) hergestellt hat.

Die verheerende Feuersbrunst, die im Jahre 1605 Stadt und Kirche traf, hat zwar die oberen Stockwerke der Türme, die Gewölbe der Seitenschiffe und teilweise auch die

15. Stadtkirche, Hauptportal. Erbaut von Meister Oswald 1439.

Hochmauern des Mittelschiffs mit ihren Strebebögen zerstört. Die Wiederherstellung erfolgte jedoch in Sinne der ursprünglichen Anlage unter Leitung des markgräflichen Hofarchitekten Michael Mebart. Bei der Frage der Einwölbungsarbeiten aber musste der Niederländer gegen einen biederen deutschen Meister, Philipp Hofmann aus Hof, zurücktreten. Noch einmal trug wenigstens der konstruktive Gedanke der Gothik auch im östlichen Franken den Sieg davon, zur gleichen Zeit, als ihm im Würzburgischen der geniale Fürstbischof Julius zu einer kurzen, aber bedeutungsvollen Nachblüte verholfen hatte. Und mit Recht konnte der treffliche Handwerksmann, als er die Kirche noch nach dem alten System einwölbte, auf seinen Bauriss die holprigen, aber inhaltsreichen Verse schreiben:

„Welcher Meister diese Reyhen veracht,
„Das ist ein Zeichen, dass er es nit versteht,
„oder vil weniger macht."

Erst nach dem zweiten Brand der Kirche im Jahre 1621 wurden dann durch den Breslauer Steinmetz Adam Viebig die Türme vollends ausgebaut und mit einer welschen Haube in schöner Silhouette durch den einheimischen Meister Hans Trampler ausgestattet.

16. Stadtkirche. Ansicht des Langhauses von Suden.

In den Architekturformen hat sich das Bayreuther Gotteshaus trotz dieser verschiedenen umfangreichen Wiederherstellungsarbeiten für den flüchtigen Blick den Charakter der gothischen Kirche doch vollständig zu wahren gewusst. Es ist ein düstergrauer Sandsteinbau mit zwei aus ganz verschiedenen Perioden stammenden Westtürmen, deren Fundament überhaupt der älteste Teil der Kirche ist. (Vgl. den Grundriss Abb. 12.) Ein ziemlich unscheinbares Denkmal aus dem 14. Jahrhundert, vor dem Umbau also, hat sich noch erhalten in dem kleinen Kreuzigungsrelief, das jetzt an der Nordwand des Chores eingemauert ist. (Abb. 13.)

Zwischen den beiden Turmen, von denen der südliche mit zierlichen Masswerkfriesen noch aus schongothischer Zeit ausgestattet ist (Abb. 14, vor der Restaurierung), öffnet sich in eine Vorhalle die Hauptthüre, die leider auch, ebenso wie die Turmfriese, eine spätere Neugothisierung erfahren hat; sie ist ein schön profilierter Aufbau mit schlanken Fialen und Krabbenschmuck, darüber die Statuen der vier Evangelisten und ein elegantes Masswerkfenster. (Abb. 15 zeigt das Portal vor der Restaurierung.)

Das spätgothische basilikale Langhaus mit seinem Fischblasenmasswerk in den Fenstern ist nach Aussen ohne besonderen Schmuck (Abb. 16). Reicher dagegen ist der noch aus dem Ende des 14. Jahrhunderts stammende Chor gegliedert durch schöne Strebepfeiler mit Arkadenblenden (Abb. 17), in deren unteren Geschossen sich noch einige der vordem hier aufgestellten Statuen erhalten haben, so der Schifferpatron Nikolaus, einst der Schutzheilige der Altenstadt (Abb. 21), St. Antonius, die heilige Veronika (Abb. 18) u. A. Leider sind an

17. Stadtkirche. Choransicht.

den älteren Teilen der Kirche nur sehr wenig Steinmetzzeichen angebracht, mit deren Hülfe sich weiterhin auch die Herkunft der Bayreuther Bauhütte nachweisen liesse. (Einige davon in Abb. 19; das letzte ist das des Steinmetzen Adam Viebig)

Das Brautthürchen, vermutlich ein Werk des Meisters Jörg Mathes, gliedert

2

18. Stadtkirche. Statue der hl. Veronika am Chor.

sich ganz geschickt an zwei Pfeiler der Sakristei an. Sein zierlicher Schmuck erinnert in den Schlosserarbeiten nachbildenden Formen etwas an Motive des ehemaligen Stuttgarter Lusthauses. (Abb. 20).

Im Innern entspricht die Kirche in ihrer beinahe gesuchten Einfachheit schon in den Architekturformen den nüchternsten Regeln der Spätgothik, die man fast versucht wäre, akademisch zu nennen. (Tafel 3.) Glatte, sechseckige Pfeiler scheiden die Schiffe, auf alten Diensten das schöne Rautengewölbe tragend, dessen freie Profile (Abb. 24) und auffallend rundbogige Konstruktion auf Rechnung der späteren Einwölbung zu Anfang des 17. Jahrhunderts zu setzen sind, ebenso wie die Bildung des auf den ersten Blick frappierenden Triumphbogens (Abb. 23).

An Ausstattungsstücken ist die Kirche sehr arm dank dem „vandalisme restaurateur", mit dem die Romantiker auch hier gehaust haben. Dieselbe Zerstörungswut, die z. B. in der Münchener Frauenkirche Candids kostbaren Bennobogen herausriss (1858), hat einige Jahre später auch in Bayreuth die ganze prunkvolle Dekoration

19. Stadtkirche. Steinmetzzeichen aus verschiedenen Bauperioden.

vernichtet, die das farben- und formenfrohe Jahrhundert des Barocco der Hauptkirche des Fürstentums gegeben hatte. Die teilweise „aus durchbrochenen Steinen" hergestellten

Tafel 3.

Stadtkirche. Innenansicht.

20. Stadtkirche. Brautthürchen.
Erbaut von Meister Jörg Matthes (?) um 1575

Emporen mussten einem nicht eben schönen Holzgerüst weichen, die Kanzel einem nichtssagenden neugothischen Schnitzwerk Platz machen.. Auch die Orgel, an der einst in kunstvoller Schnitzerei das Brandenburger Wappen und das Bildnis des Markgrafen Christian (vgl. Abb. 3) angebracht war, erhielt ein modisches Gewand. Selbst die Kenotaphien der Markgrafen, ihre Grabkreuze und die Fahnen und Rossschweife, die einst der Türkenbezwinger Christian Ernst in seiner Siegesfreude hieraufgehängthatte, wurden vernichtet. Wie durch ein Wunder entging der allgemeinen Gothisierung nur der von der Markgräfin Maria gestiftete Altar, ein imposanter Aufbau in spätester Renaissance, dessen Bemalung der Nürnberger Flachmaler Leonhard Brechtel herstellte, während die jetzt nicht mehr vorhandenen Tafelbilder der fürstliche Hofmaler Heinrich Bollandt geliefert hatte. (1615).

21. Stadtkirche.
Statue des hl. Nikolaus (?) am Chor.

Ebenfalls aus dem 17. Jahrhundert haben sich dann noch erhalten ein paar weniger bedeutende Grabsteine und sechs kleine, gleichfalls nicht besonders wertvolle Marmorreliefs (aus dem Jahre 1615) von dem Bamberger Bildhauer Hans Werner, die jetzt in den fein säuberlich mit grüner Oelfarbe gestrichenen Taufstein eingelassen sind. Auffallend unter ihnen ist besonders das nebenstehend abgebildete, weil es ein speziell katholisches Motiv, Christus in der Kelter, in einer schon damals protestantischen Kirche verwertet. (Abb. 22).

22. Stadtkirche. Relief vom Taufstein.
Gefertigt von Hans Werner 1615.

So macht auch heute die Bayreuther Stadtkirche nur einen kahlen und nüchternen Eindruck; hätte man aber die alten ehrwürdigen Denkmäler, auch wenn sie „stilwidrig" gewesen wären, an ihrer Stelle belassen, so würde auch uns das Gotteshaus noch erzählen können von fürstlichen Heldenthaten, höfischem Prunk und bürgerlichem Gemeinsinn.

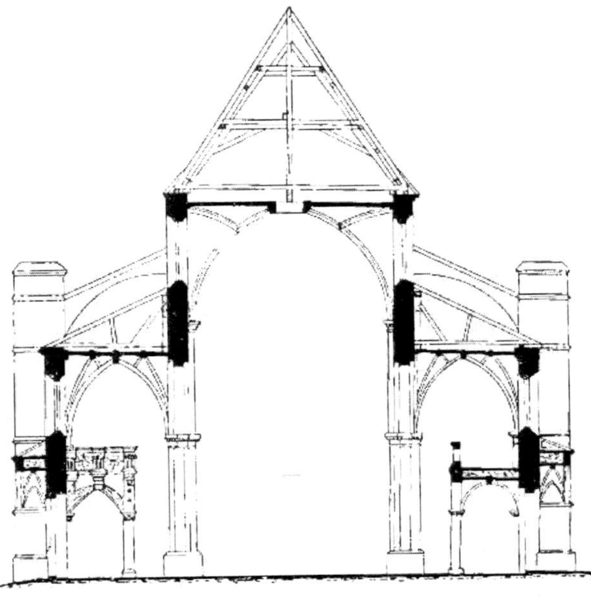

23. Stadtkirche. Querschnitt. Nach Plänen des k. Landbauamts Bayreuth.

Unter dem Chor der Kirche befindet sich die erst von Markgraf Christian erbaute fürstliche Familiengruft, in der 26 von den fränkischen Hohenzollern ihre letzte Ruhestätte gefunden haben. Der erste Fürst, der hier beigesetzt wurde, war ein unmündiger Prinz des Markgrafen Christian, Friedrich Wilhelm († 1620), der letzte war ein Bruder des Markgrafen Friedrich, Wilhelm Ernst, der als kaiserlicher Oberst im Jahre 1733 bei Mantua fiel.

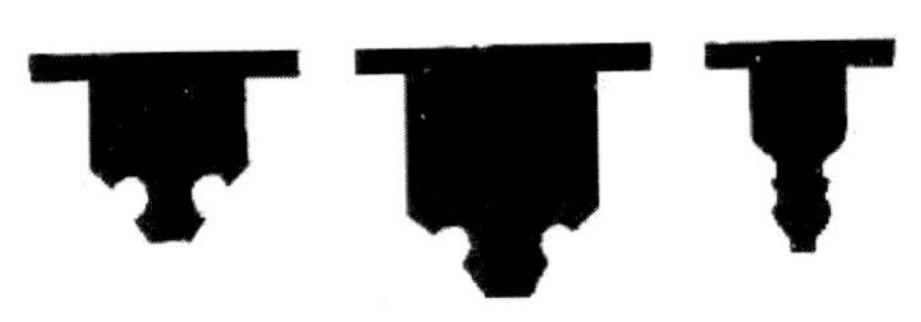

24. Stadtkirche. Profile der Gewölberippen aus verschiedenen Bauperioden.

# Die Kanzlei.

Mehr als ein Jahrhundert kunstgeschichtlicher Entwicklung sind wir genötigt zu überspringen, wenn wir von der Betrachtung der Bayreuther Stadtkirche direkt übergehen zur Besprechung der dortigen Kanzlei, ein Jahrhundert, das für die deutsche Kunst von eminenter Wichtigkeit gewesen ist.

Den mächtigen Kulturfaktoren des 16. Jahrhunderts, die allmählich in Deutschland mit den mittelalterlichen Anschauungen aufräumten, hatte auch die Kunst der Gothik weichen müssen. Aber nicht im raschen Anlauf eroberte sich die neue Kunst die Lande jenseits der Alpen, im Gegenteil, jeden Schritt breit deutschen Bodens musste sie sich erkämpfen, oft auch wie der Humanismus auf eigensinnigen Widerstand stossend. Und das echt deutsche Festhalten am Alten, Liebgewonnenen, manchmal teuer Erkauften tritt wohl nirgends so auffallend und dabei doch wieder so anheimelnd zu Tage als gerade in den ersten Jahrzehnten des 16. Jahrhunderts, da das Alte und das Neue ungebrochen und kampfesfroh mit einander ringen.

Auch in unseren Landen fand — ebenso wie die neuen wissenschaftlichen Anschauungen — die neue Kunst nur langsam Eingang. Erst eigentlich in der zweiten Hälfte des 16. Jahrhunderts tritt uns auch auf dem Hohenzollernthron in Franken ein ganzer Renaissancefürst entgegen, Markgraf Georg Friedrich (1557—1603), Georgs des Frommen einziger Sohn. Unter seiner Aegide verhalf ein trefflicher einheimischer Meister Caspar Vischer der deutschen Renaissance auch hier zum Sieg in der Prachtschöpfung des „schönen Hofes" auf der Plassenburg bei Kulmbach.

In der nachmaligen Hauptstadt des Fürstentums Bayreuth dagegen scheint damals gerade nicht sonderlich viel gebaut worden sein; erhalten wenigstens hat sich bis heute nur das kleine köstliche Brautthürchen an der Stadtkirche, das wir bereits kennen gelernt haben. (Abb. 20).

Nach dieser Periode der eigentlichen deutschen Renaissance, die in der Baukunst sich bis gegen das Ende des 16. Jahrhunderts behauptete, schiebt sich um die Wende desselben eine kurze Epoche ein, die sich in ihren Ausdrucksformen ein förmlich klassicistisches Gepräge zu geben weiss. Ihr gehören Bauten an, wie Holl's Rathaus in Augsburg, seine Willibaldsburg bei Eichstätt, das Aschaffenburger Schloss, das Nürnberger Rathaus u. A. Auch Markgraf Christian (1603—1655), dessen Regierung teilweise in diese Kunstepoche fiel, errichtete in seinen Fürstentümern zwei Bauten, die einen ähnlichen Stilgedanken repräsentierten, das leider heute vollständig zerstörte Schloss Scharffeneck bei Bayersdorf und in Bayreuth die sog. fürstliche Kanzlei, die jetzige k. Regierung von Oberfranken.

Obwohl bereits der Landtagsabschied vom 11. November 1617 die Errichtung eines „ordentlichen Kanzlei- und Landhauses" beschlossen hatte, konnte man doch erst ums Jahr 1625 an die Ausführung gehen, die der Baumeister Abraham Schade leitete, ein Schüler des Niederländers Michael Mebart. Vielleicht war auch der zu Anfang des 17. Jahrhunderts viel beschäftigte Nürnberger Architekt Jakob Wolff d. J., der sich gerade damals eine zeitlang in Bayreuth aufhielt, irgendwie massgebend an dem Bau beteiligt.

Denn gar manches an der alten Kanzlei erinnert an das Nürnberger Rathaus, dessen Erbauer ja der jüngere Wolff gewesen war. Die Abteilung der Stockwerke durch doppelte Gesimsbänder, die starken Eckbossen, die Fenstergewände und nicht zuletzt die Architektur des Thores haben beide Bauten in seltener Uebereinstimmung gemeinsam. (Abb. 25).

Aus der ersten Bauperiode der Bayreuther Kanzlei stammt jedoch nur der kleinere Teil des langen Gebäudes mit dem mittleren figurgeschmückten Thor. Und hier weisen wieder neue Beziehungen ebenfalls nach Nürnberg. Ist doch jetzt nachgewiesen, dass hier und dort für die plastische Dekoration der gleiche Meister thätig ist, der Bildhauer Abraham

25. Kanzlei. Jetzt k. Regierung von Oberfranken.

Gross († 1632) aus Kulmbach, der Nachbarstadt Bayreuths. Seine Temperantia und Justitia auf dem mittleren Thor der Bayreuther Kanzlei entsprechen genau den Frauengestalten des Nürnberger Rathauses, ebenso wie der architektonische Aufbau beider Thoranlagen der gleiche ist. (Abb. 26). Auch die stilistischen Details der Figuren stimmen vollkommen überein; man braucht nur einmal die strengen Profile der Gesichter zu studieren! Wie ganz anders sind dagegen die Frauengestalten ausgefallen, die spätere Meister in Anlehnung an die Arbeiten von Gross auf den späteren Anbauten der Kanzlei links und rechts angebracht haben. Durch eben diese Anbauten, von denen der eine unter Markgraf Friedrich von dem Bauinspektor Johann Friedrich Grael, der andere erst gegen das Ende des 18. Jahrhunderts unter Markgraf Alexander errichtet wurde, ist

Tafel 4.

**Kurfürst Joachim I. von Brandenburg.**

Gemalt von Lukas Cranach d. Ae. 1529.
Bayreuth, Neues Schloss.

allerdings auch der Gesammteindruck ebenso verschoben und der stilistische Charakter des Gebäudes ebenso verwischt worden als durch verschiedene moderne Restaurierungen.

---

Für den ersten Mäcen unter den fränkischen Hohenzollern, für Markgraf Georg Friedrich, sehen wir während seiner zwei Menschenalter langen Regierungszeit neben

26. Kanzlei. Mittleres Portal. Erbaut von Abraham Gross.

mehreren trefflichen Architekten wie Caspar Vischer, Georg Beck, Aberlin Tretsch, den beiden Berwart, Thomas Martinotus, Kaspar Schwabe, Gideon Bacher, Michael Mebart u. A. auch eine Anzahl namhafter Maler thätig; genannt seien hier vor allen Andreas Rühl, Thomas Butterer, Heinrich Bollandt, Wolf Keller und Oswald Schirmer.

Aber von all den Werken, die diese Meister einst für den kunstsinnigen Fürsten geschaffen haben, ist heute, in Bayreuth wenigstens, so gut wie nichts mehr erhalten.

Oftmalige Brände, die gründliche Plünderung der Stadt im 30jährigen Kriege und nicht zuletzt die Rücksichtslosigkeit, mit der man bei dem Aussterben der fränkischen Hohenzollern mit ihrem Besitz umging, haben die reichen Schätze der fürstlichen Schlösser aus dieser Zeit gar bös reduciert und auch die ansehnliche „Kunstkammer“ vollständig aufgelöst.

Nur zwei wichtigere Gemälde aus dem 16. Jahrhundert haben sich in Bayreuth selbst erhalten. Das eine ist durch verschiedene Reproduktionen -- schon Mark Anton Gufler hat es in dem originellen „Brandenburgischen Cederhein“ des Bayreuther Hofpredigers Rentsch im Jahre 1682 gestochen — bekannt und verbreitet worden. Es ist ein Porträt des Kurfürsten Joachim I. von dem älteren Cranach, das heute etwas übermalt, aber sonst noch recht gut erhalten, in der Kanzleibibliothek aufbewahrt wird. (Tafel 4). Auf welche Weise es nach Bayreuth kam, konnte ich leider nicht ermitteln, es wird wohl ein Geschenk des Kurfürsten etwa an Georg Friedrichs Vater, Georg den

27. Bartel Beham. Festmahl der Herodias. St. Georgen Sakristei der Ordenkirche.

Frommen, gewesen sein, den ja der gleiche Meister selbst auch einmal porträtiert hat (Dresden, Gallerie).

Noch versteckter als des Fürsten Bildnis hat sich ein zweites Gemälde (Abb. 27) aus dem 16. Jahrhundert herübergerettet, das einst die fürstliche Loge in der Stadtkirche zierte. Es hängt heute vergessen und unbekannt in der Sakristei der Ordenskirche zu St. Georgen und stellt die Enthauptung Johannes' des Täufers und das Festmahl der Herodias dar. In jener liebenswürdigen Weise, wie sie die Kleinmaler in der Mitte des 16. Jahrhunderts auszeichnet, ist dieser biblische Vorgang mit den reizendsten Genredarstellungen aus einem Liebesgarten in geschickte Verbindung gebracht. Zweifellos gehört das treffliche Gemälde Bartel Beham an, dem humorvollen Erzähler und Schilderer; inwieweit es mit venetianischen Bildern dieser Epoche zusammenhängt, werde ich an anderer Stelle eingehender zu erörtern Gelegenheit haben. Hier sei das interessante Bild einstweilen einmal bekannt gemacht.

## Das alte Schloss.

Erst das 17. Jahrhundert brach auch in Deutschland vollends mit der mittelalterlichen Gepflogenheit, die fürstlichen Schlösser auf allen Seiten, auch gegen die Stadt zu, mit mächtigen Wehrbauten zu schirmen; veränderte Anschauungen, verfeinerte Bedürfnisse und verbesserte Fortifikationsgrundsätze trugen die trutzigen Zinnentürme ab und ebneten Wall und Wassergraben ein. Und mit der einengenden und abschliessenden Befestigung fielen auch die engen, unregelmässigen, zusammengedrängten Häuschen der mittelalterlichen Schlossbauten.

Der italienische Gedanke einer einheitlichen, klargegliederten und ebenso durchgeführten Schlossanlage, als dessen erste Nachbildung in Deutschland wohl des bayrischen Herzogs Ludwig neue Residenz zu Landshut (1536ff.) nach dem Muster des Mantuaner Palazzo del Te angesprochen werden darf, war hier durch zwei Jahrhunderte hindurch langsam ausgebildet und deutschem Wesen und deutschen Anforderungen entsprechend umgestaltet worden.

Auch in Bayreuth trat, allerdings erst nach der Mitte des 17. Jahrhunderts, ein aus solchen Grundsätzen herausgeschaffener Bau an Stelle des unregelmässigen Gebäudekomplexes an der Nordostecke der Stadtbefestigung, wo bereits im Jahre 1441 Johann der Alchymist ein Schloss gegründet hatte, das im Laufe der Zeit fast durch alle Fürsten vergrössert und verschönert worden war.

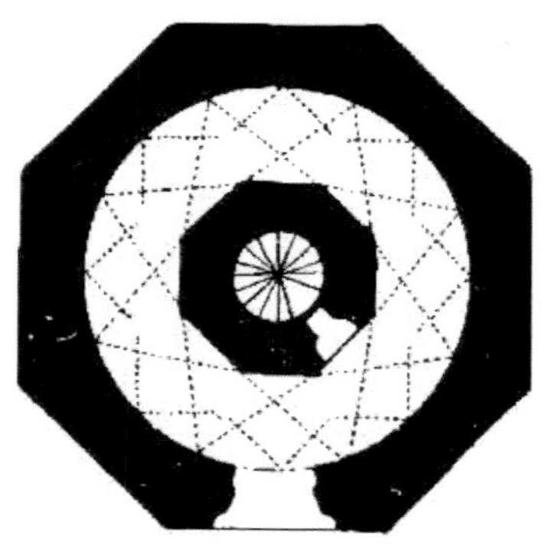

25 Altes Schloss. Turm (Grundriss Skizze).

Geschickt wurde hier in Rücksicht auf jüngere Bauteile nicht ein vollständiger Neubau vorgenommen, sondern in der Hauptsache nur die alten Gebäude durch technische Kunstgriffe zu einem einheitlichen Ganzen verarbeitet. So blieb auch Markgraf Christians Saalbau erhalten und sein achteckiger Turm, der heute noch das Schloss beherrschend überragt und somit auf die Silhouette des ganzen Stadtbildes stark mitbestimmend einwirkt.

Markgraf Christian Ernst, der Nachfolger Christians († 1655), hatte schon als Prinz auf seiner Kavalierstour in Frankreich den Entschluss gefasst, die Kapelle seines Schlosses in Bayreuth verschönern und vergrössern zu lassen. Damit wurde bald ein vollständiger Umbau der ganzen Anlage verbunden. „Ich habe mir", schreibt der Fürst im Jahre 1667, „mit Hilffe des Allerhöchsten vorgenommen, die vorderen zwei Theile an meinem Residenzschlosse gleich den beiden hintern Theilen aufzuführen und in eine Vierung und rechte Form bringen zu lassen". Ein Menschenalter allerdings ging über diesen Plan und seine endgültige Verwirklichung hinweg, und fünf namhafte Architekten teilten sich in Arbeit und Verdienst.

Mit der Erneuerung der Schlosskapelle, die noch aus den Tagen der Gothik stammte, begann der fürstliche Hofbaumeister Sigismund Andreas Schwenter im Jahre 1668 den Umbau, sein Werk vollendete der Baumeister Elias Gedeler, vermutlich ein Schüler des grossen Augsburger Architekten Elias Holl. Für kurze Zeit war auch Johann Moritz Richter, ein Spross der berühmten Thüringer Künstlerfamilie, am Bayreuther Schloss thätig.

Aber erst mit der Berufung eines ausländischen Architekten begann sich des Fürsten Traum „von der Vierung und rechten Form" allmählich zu verwirklichen. Charles-Philippe Dieussart, wohl ein hugenottischer Meister, der durch die Repressalien Ludwig XIV. sein Vaterland verloren hatte, kam im Jahre 1691 über Güstrow und Berlin nach Bayreuth. Hier führte er in den folgenden Jahren den langgehegten Plan seines fürstlichen Bauherrn aus, indem er im Innenhof des in unregelmässigem Quadrat erbauten Schlosses allen alten Gebäuden von der Kapelle an „um den grossen Saal, die Turnstiege und den Judiziersaal" eine neue Fassade mit Arkadenstellungen anklebte und so „die gantze circonferentz des einwendigen Platzes auf ein modell der Architektur verfertigte". Ein ähnliches Verfahren wandte man dann an den älteren Teilen der äusseren Front an; auch hier wurden manche Bauteile einfach mit einer neuen, einheitlichen Fassade ausgestattet. Mitten im Werk aber starb der treffliche Meister. An seine Stelle trat für wenige Jahre der in der Kunstgeschichte Frankens nachmals so berühmt gewordene Leonhard Dientzenhofer, der hier aber lediglich die Einhüllung des alten Treppenturms in das neue Gewand nach Dieussarts Vorgang vollendete. Gegen 1697 mag dann das Schloss fertig gewesen sein.

29. Altes Schloss. Innenhof mit Turm und Arkadenstellung.

Erst unter Markgraf Georg Wilhelm, dem Sohn und Nachfolger Christian Ernsts, wurden durch den Schlüterschüler Paul Decker die beiden Flügel gegen die Stadt mit dem französischen Mustern nachgebildeten Ehrenhof angebaut. Eine Feuersbrunst aber, die Markgraf Friedrich im Jahre 1753 selbst verschuldete, hat viele Teile des Schlosses, darunter besonders den alten Bau Georg Friedrichs und die Kapelle, vollständig zerstört. Die Innenausstattung ist ebenfalls gänzlich zu grunde gegangen, besonders da das Gebäude sich schon seit über 100 Jahren grossenteils in Privathänden befindet.

---

Von den älteren Teilen des Bayreuther Schlosses ist heute hauptsächlich noch der Turm erhalten, den einst Markgraf Christian um 1610 erbauen liess; diese ganze „Turmstiege, schneckenweiss ohne stupffen" ist so eingerichtet, dass man um eine innere Treppenspindel herum in die Höhe fahren kann. (Abb. 28.) Analogien zu solchen Turmbauten finden sich nicht eben selten in Italien und Frankreich; ich erinnere hier nur an den Treppenturm der Peterskirche in Rom oder an den des Schlosses Chambord bei Blois. Der Saalbau neben dem Treppenhaus, der ebenfalls aus der Zeit Christians stammt und wohl durch den niederländischen Architekten Michael Mebart ausgeführt wurde, ist heute innen und aussen vollständig umgebaut.

30. Altes Schloss Fassade gegen die Stadt

Von Dieussarts Architektur ist dagegen noch ziemlich viel erhalten, im Innenhof das streng gezeichnete Pilastersystem mit dem Triglyphenfries, das die klassicistische Ausbildung des holländischen Meisters deutlich erkennen lässt (Abb. 29), aussen über den schön

31. Altes Schloss. Detail der Fassade. Erbaut von Charles-Philippe Dieussart um 1695

gezeichneten Pilastern des Erdgeschosses zwei Stockwerke mit scharfprofilierten Fensterverdachungen. (Abb. 30.) Alle feineren Architekturteile, wie Kapitäle u. s. w. sind sehr sorgfältig ausgeführt; Dieussarts glänzende Schulung als „Skulpteur", als der er ja im Dienste des Herzogs von Mecklenburg gestanden hatte, verraten aber besonders die trefflichen Porträtmedaillons über den Fenstern des Erdgeschosses. (Abb. 31.) Hier war der Ausländer zugleich mit einem bayrischen Meister thätig, dem Regensburger Bildhauer Elias Ränz, der in seinen Söhnen und anderen Meistern zu Bayreuth eine handfertige Bildhauerschule grossgezogen hat. Ernst und wuchtig blicken am Schloss die markigen Kaiserköpfe aus ihren Lorbeerkränzen den Beschauer an, während holde Frauenlippen ihm anmutig zulächeln.

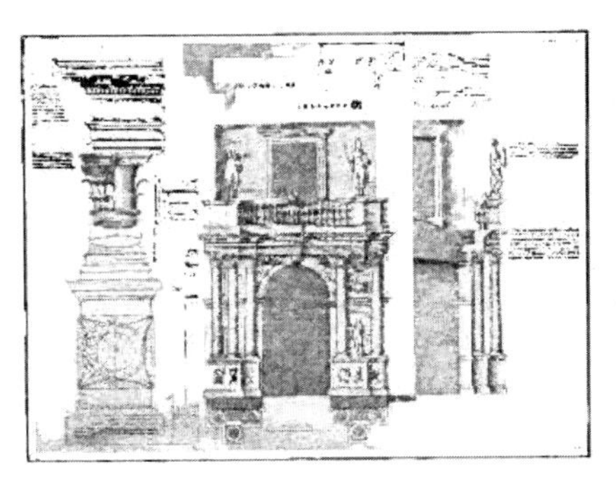

32. Altes Schloss. Gallerie im grossen Saal.
Zeichnung des Bildhauers Heinrich Friedrich Franck (1626).
Pergamentblatt. K. Kreisarchiv Bamberg.

Das Innere des Schlosses ist, wie ich bereits erwähnt habe, in der Folgezeit vollständig umgestaltet worden. Um aber doch einigermassen ein Bild geben zu können, wie es einst dort ausgesehen hat, darf ich hier wohl von meinem sonstigen Programm einmal abweichen und zwei Zeichnungen, die sich zufällig in Sammlungen ausserhalb Bayreuths erhalten haben, beiziehen. Die eine (Abb. 32), ein sorgfältig gezeichnetes Pergamentblatt, stellt einen Entwurf dar zu einer „Gallerie im grossen Saal“, von einem Meister Heinrich Friedrich Franck (1626). Der wohl proportionierte Säulenaufbau ist in den damals schon ganz geläufigen, ausgesprochen barocken Formen gehalten und verwendet, bezeichnend für die Zeit seiner Entstehung, allerlei Material, wie Holz, Marmor, schwarzen Serpentinstein u. s. w. Ob Francks Entwurf wirklich ausgeführt wurde, weiss ich nicht zu sagen.

33. Altes Schloss. Ehemalige Innenausstattung. Zeichnung des Schlossbaumeisters Elias Gedeler. K. Nationalmuseum München.

Das zweite Blatt (Abb. 33) ist eine eigenhändige Zeichnung des Bayreuther Schlossbaumeisters Elias Gedeler mit dem Interieur eines grösseren Zimmers, vielleicht des Speisesaals; die Dekoration ist sehr einfach gehalten in auffallend strenger Schreinerarchitektur, die etwas an die Formen Holl's erinnert.

# St. Georgen.

Das war eine gar lustige Zeit in der fränkischen Residenz, als der Sohn und Nachfolger Christian Ernsts, Georg Wilhelm, im Jahre 1726 zur Regierung gekommen war und mit ihm seine Gemahlin Sophie von Sachsen-Weissenfels, die ihren Beinamen einer Laïs des 18. Jahrhunderts nicht zu Unrecht getragen hat. Glänzende Divertissements, Aufzüge und Maskeraden, und sonst noch allerlei Festivitäten und höfische Plaisirs lösten sich in bunter Folge ab; dazwischen wieder Lustlager und geräuschvolle Manöver und Paraden der fürstlichen Leibgarden. Glanz, Glück und Genuss allenthalben.

Als Schauplatz all dieser glänzenden Vergnügungen hatte sich Georg Wilhelm schon als Erbprinz ein neues Gebiet ausgesucht. Im Norden der Hauptstadt lag ein kleiner See, den einst Markgraf Friedrich d. Ae. im Jahre 1509 hatte graben lassen als Fischweiher für seinen Hofstaat und für die regulierten Augustinereremiten im nahen Klösterlein St. Jobst. Dieser See, der den Namen der „Brandenburger" erhalten hatte, wurde jetzt unter Georg Wilhelm anderen Zwecken dienstbar gemacht, vergrössert und verschönert und mit Gartenanlagen, einer runden Insel und einer Feldschanze ausgestattet.

In einer Zeit, da auf den Fluten des Starnberger Sees der Bucintoro der bayrischen Kurfürsten schaukelte, und die Erinnerung an die Seeschlachten des spanischen Erbfolgekriegs, den Georg Wilhelm als kaiserlicher Generalwachtmeister an der Spitze seines fränkischen Kürassierregiments mitgekämpft hatte, noch in Aller Erinnerung lebte, da musste natürlich auch der fränkische Markgraf seine Kriegsflotille, seine Seeschlachten haben. Gar bald wurden daher im Brandenburger See ein paar grössere Kriegsschiffe gebaut und kampflustig führte nun der fürstliche Held seine Armada von Sieg zu Sieg.

Dazwischen wurde wieder einmal ein kunstvolles Feuerwerk auf dem Wasser abgebrannt, Wettfahrten wurden veranstaltet, venetianische Nächte mit allem höfischen Prunk und allerlei Mummenschanz gefeiert. Und mit einem unbestreitbaren Raffinement war am Ufer eine Art Zuschauerraum errichtet worden, mit dessen Hülfe die Illusion ermöglicht wurde, als ginge all dieser Zauber auf einer künstlichen Bühne vor sich, ähnlich wie sich die Ansbacher Markgrafen in Triesdorf ein Theater an der Wildbahn gebaut hatten, über dessen Scene die Parforcejagd in wildem Getümmel dahinraste.

Für den fast ständigen Aufenthalt des Hofes konnten natürlich jetzt auch die drei „holländischen Häuschen" nicht mehr genügen, die Georg Wilhelm schon als Erbprinz an der südlichen Lände des Sees erbaut hatte. Auch das Schlösschen, das bereits 1701 an deren Stelle getreten war, wurde gar bald zu eng und entsprach den erhöhten Anforderungen nicht mehr (Abb. 34). Kurz entschlossen riss man es ab und begann einen grösseren

Neubau. Am 2. Januar 1725 legte der Markgraf selbst den Grundstein zu dem bedeutendsten seiner Schlösser, dessen Vollendung er jedoch nicht mehr erleben sollte.

Der fürstliche Bauinspektor Johann David Ränz, ein Sohn des uns bereits bekannten Bildhauers Elias Ränz, leitete die Bauführung. Durch seinen Lehrer Paul Decker, der selbst für kurze Zeit Georg Wilhelms Hofarchitekt gewesen war († 1713), zu einem Nachstreber Schlüters, des grössten deutschen Barockmeisters, herangebildet, hat Ränz auch in allen seinen Bayreuther Bauten seine barocke Schulung nie verleugnet. Und was ihm an der Virtuosität und dem Formenreichtum seiner Vorbilder fehlte, konnte er leicht aus dem Kupferwerk „Der fürstliche Baumeister" ersetzen, in dem sein Lehrer Decker die mannigfachsten Errungenschaften seines Künstlerdaseins niedergelegt hatte.

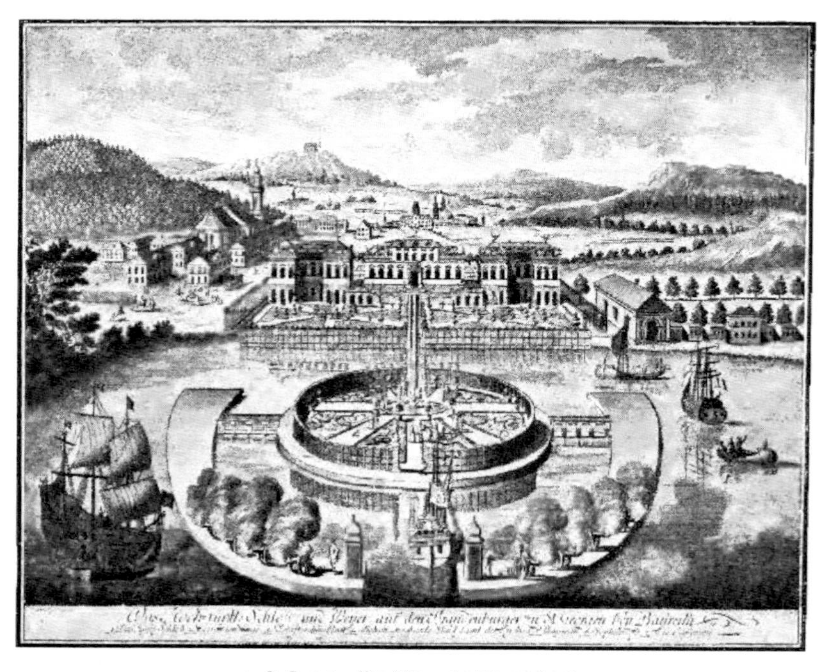

34. St. Georgen. Altes Schloss. Ansicht vom See aus.
Kupferstich von J. A. Delsenbach nach einer Zeichnung des Hofarchitekten Paul Decker.

Auch im Schloss zu St. Georgen zeigt sich Ränz vollständig von Decker beeinflusst. Ein System von vier Pilastern auf dem mächtigen Gurtgesims des gequaderten Erdgeschosses wird abgeschlossen durch einen schön gezeichneten Konsolenfries, der mit seinen trefflichen Trophäen in den Metopen unmittelbar an Schluter'sche Motive anklingt. Die gleiche Herkunft verraten auch die Reliefplatten mit den Waffenstücken zwischen den Fenstern der beiden Hauptstockwerke und die Wappendekoration über der Mittelthüre. (Abb. 35.)

Was aber an dem Schloss zu St. Georgen kunstwissenschaftlich vor allem wichtig bleibt, ist der Versuch, ein neues selbständiges Kapitäl zu konstruieren, ein Problem, das von Italien ausgehend eine Zeit lang die ganze künstlerische Welt in Atem hielt. Gewiss nicht überall hat es eine so treffliche Lösung gefunden, wie gerade bei unserem Bau.

Als Hauptmotiv des neuen Kapitals ist das Kreuz des von Markgraf Georg Wilhelm gegründeten Ordens „de la sincérité“ verwendet. Durch die Thatsache, dass das Schloss in St. Georgen als Kapitelhaus des Ordens zu dienen hatte, lässt sich bei diesem Bau wenigstens die Idee, auch äusserlich den Zweck des Gebäudes anzudeuten, ganz gut rechtfertigen.

Auch das Innere des Schlosses, soweit es heute noch erhalten ist, verarbeitet überall in seiner Dekoration Schlüter'sche Einflüsse. Den Festsaal rahmen freigebildete Pilaster

35. St. Georgen. Stadt-Fassade des Schlosses (Mittelrisalit). Erbaut von David Ranz von 1725 ab.

ein; darüber ein ebenso willkürlich gezeichnetes Gebälk, ein Konsolenfries mit Kartuschen und Trophäen, die Hohlkehle ebenfalls mit Waffenstücken geschmückt. (Abb. 36.) Reiche Baldachine und Lambrequins, mit dem Fürstenhut und dem roten Wappenadler der Brandenburger bekrönt, vermitteln den Uebergang zum Deckenbild. Dieses selbst stellt die übliche

Tafel 5. H. Brand, Hofphotograph, Bayreuth.

St. Georgen. Deckenbild im Hauptsaal des Schlosses.

Götterversammlung dar, eine Apotheose der Aufrichtigkeit, darüber wieder der rote Adler, das Band des Ordens „de la sincérité" in den Fängen. (Tafel 5.) Vielleicht ein Werk des damaligen Hofmalers Gabriel Schreyer, ist das Gemälde noch in der braunen Farbenstimmung der römischen Manieristen gehalten; Tiepolo's venetianische Silbertöne, die wie keine andere Farbenwirkung einer Stuccodekoration sich anzupassen wissen, hatten hier noch nicht Bewunderer und Nachahmer gefunden.

Schon vor dem älteren Schloss am Ufer des Brandenburger Sees hatte der baulustige Fürst auch eine neue Stadt gegründet, ebenfalls nach holländischem Muster wie Erlangen, dessen Anlage zur Aufnahme französischer Hugenotten noch unter Christian Ernst hauptsächlich auch auf seine Anregungen zurückgeht. Am 8. März 1702 hatte

36. St. Georgen. Schloss. Stukkdekoration an der Decke des Hauptsaals.

Christian Ernst seinem Sohn durch ein besonderes Dekret die Ausführung des Planes gestattet. Ein rascher Unternehmungsgeist liess in wenigen Jahren die neue Anlage entstehen, der der Fürst nach seinem Schutzpatron den Namen St. Georgen gab.

Aber auch diese ganze neue Gründung mit all ihrem Drum und Dran bezweckte im Grund genommen wieder weiter nichts, als einen vergrösserten Rahmen zu schaffen für die glänzenden Hoffeste. Wie kaum ein zweiter der fränkischen Markgrafen hat Georg Wilhelm es verstanden, Kunst und Künstler seiner Vergnügungssucht dienstbar zu machen. So hat er denn auch während seiner kurzen Regierung von 1712—1726 noch zwei weitere Lustschlösser erbaut, die alte Eremitage, die später eingehend zu besprechen sein wird, und das Jagdschlösschen Tiergarten. Auch hier war Johann David Ränz der leitende Architekt.

Im Jahre 1715, genau gleichzeitig mit der Anlage der Eremitage, wurde im Tiergarten mit dem Bauen begonnen. Fünf Jahre später war das Gebäude soweit fertig gestellt, dass der von Bamberg berufene Stukkator Domenico Catenadio an die Innendekoration gehen konnte.

Das sog. Tiergärtner Schlösschen ist heute ein Bauernhaus; der achteckige Mittelturm — das ganze Gebäude sollte im Grundriss die Form eines Ordenskreuzes erhalten — wird jetzt in zwei Stockwerke geteilt als Scheuer benutzt. (Abb. 37.) Noch hat sich aussen das Portal mit seinem Säulenvorbau und Figurenschmuck teilweise erhalten, im Innern auf acht Pilastern die unbedeutende Stukkdecke, die mit Jagdemblemen und Putten ausgestattet ist; dazwischen überall die Wappenadler, für die Georg Wilhelm eine ganz besondere Vorliebe gehabt haben muss, denn sie finden sich bei allen seinen Bauten in mehr oder weniger geschmackvoller Weise verwertet wieder.

37 Jagdschloss Tiergarten.
Erbaut von Johann David Ranz 1715—1720.

Nicht zufrieden mit der Neuanlage von Erlangen und St. Georgen plante der unermüdliche Städtegründer Georg Wilhelm auch noch die Anlage einer grossen neuen Stadt nördlich seines Brandenburger Sees. Nach einem einheitlichen Projekt sollte der ganze Plan, zu dem die Idee dem schlauen Kopfe eines Kammerherrn Isaak de Plessis entsprungen war, durchgeführt werden. Aber Georg Wilhelm sollte die Vollendung der neuen Stadt, die nach seiner Gemahlin den Namen Sophienburg erhalten hätte, nicht mehr erleben; er starb bereits am 17. Dezember 1726. Kurz vor seinem Tod war der phantasiereiche Impresario mit allen Baugeldern, die durch eine Landeslotterie zusammengebracht worden waren, auf Nimmerwiedersehen verschwunden. Damit fiel auch die ganze Herrlichkeit in sich zusammen.

# Das Opernhaus.

Nichts entspricht dem Charakter des 18. Jahrhunderts und seiner Karnevalsstimmung mehr als Theater und Theaterspielen. War man doch im Leben selbst auch den ganzen Tag so gut wie auf der Bühne, und Schminke und Schönheitspflästerchen wurden nicht nur in Thalia's Diensten aufgelegt. Die allmächtige Mode aus Versailles, wo der König selbst als Sonnengott aufgetreten war, hatte in Deutschland gar bald mit dem mittelalterlichen Vorurteil gegen Gaukler und Komödianten aufgeräumt, so gründlich, dass sich jetzt sogar die Fürsten und Hofkavaliere mit vielem Eifer und Stolz als Akteurs gerierten.

Wie Friedrich der Grosse selbst ab und zu als Schauspieler auftrat, so feierte auch seine vielseitige Schwester auf der Bühne in Berlin und Bayreuth manche Triumphe, wenn der Hof französische Komödien „agierte“, und schmerzlich gedenkt sogar Voltaire noch in seiner freiwilligen Verbannung in Aux-Délices am Genfer See der Tage, da er in Bayreuth

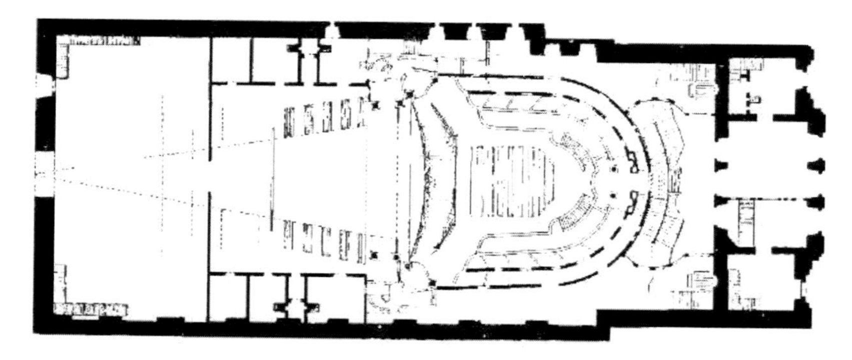

38. Opernhaus. Grundriss. Nach Plänen des fürstl. Bauinspektors Riedel. K. Landbauamt Bayreuth.

„die Ehre hatte, sich in der Rolle des Acomat zu versuchen“, während die Markgräfin „die Roxane so vortrefflich darstellte“.

Was Wunder, dass es sich da die belesene und vielseitig gebildete Schülerin des gewiegten Dramatikers und Romanciers nicht lange versagen konnte, auch ihrerseits den Weg zum Parnass zu beschreiten. Zuerst versuchte sie sich mit der Bearbeitung von Voltaire's Semiramis zu einem Operntext, den dann Angelo Cori in volltönende italienische Verse bringen musste. Bald aber wagte sie sich auch an neue, selbst erfundene Sujets; noch heute haben sich zwei Opernlibretti erhalten — l'uomo und Amalthea —, deren

3*

italienische Reime der Bayreuther Hofpoët Stampiglia nach dem französischen Manuscript seiner Fürstin verfasste. Gleich ihrem königlichen Bruder komponierte sie auch, indem sie u. A. des zweiten Hofdichters Giovanni Andrea Galleti's „Tragedia" Agenor in Musik setzte.

Diese Vorliebe der Fürstin für das Theater, die auch von Markgraf Friedrich geteilt

39. Opernhaus. Fassade. Erbaut von Josephe St. Pierre 1745–1749.

wurde, brachte naturgemäss auch die Entwicklung des Bühnenwesens in Bayreuth, wo noch unter Georg Friedrich Karl die Pietisten das Ballet als Todsünde verdammt hatten, auf einen glänzenden Höhepunkt. An der Oper wurde eine Anzahl italienischer Sänger engagiert, wie Giacomo Fachini, Steffanino Leonardi, Signorina Furcotti, um nur einige Namen zu nennen; für die unter Direktion des Marquis de Montperny gegründete „französische Comoedie“ wurden wieder meist nur Pariser Künstler berufen, wie Blondeval, Criot, Fierville, Merval und die Damen Raymond, Le Brun, Fleury u. A. Glänzende Stars sogar, wie den weltberühmten Tragöden le Cain oder den Komiker Préville wusste man für kurze Gastspiele zu gewinnen.

Da musste denn gar bald bei diesen mit so hervorragenden Kräften und einem so reichen bühnentechnischen Apparat unternommenen Schaustellungen das alte Theater im Residenzschloss, das sonderbarer Weise gerade hinter dem Altar der Schlosskirche errichtet worden war, zu eng und zu unscheinbar werden und der Wunsch lag nahe, für alle diese glänzenden Aufführungen und höfischen Divertissements einen ebenso prunkvollen Rahmen zu schaffen. Und von dem Wunsch und dem Projekt war bei der rastlosen Energie, die in der Fürstin glühte, nur ein Schritt bis zur Vollendung, herrlicher fast als sie erträumt worden war. So erstand der Wunderbau des Bayreuther Opernhauses!

Schon im Jahre 1744 wurden einige Häuser am Fusse des Schlossberges ausserhalb der alten Stadtbefestigung angekauft, um Platz für den geplanten Neubau zu gewinnen. Am 25. Februar des nächsten Jahres begannen dann die eigentlichen Bauarbeiten; bereits

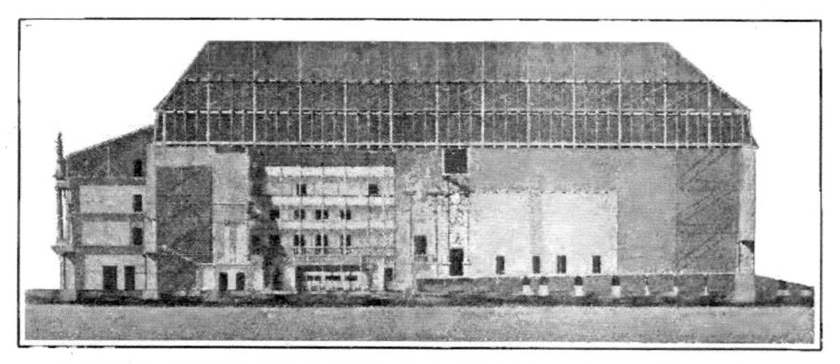

40. Opernhaus. Längsschnitt Nach einer Zeichnung des fürstl. Bauinspektors Riedel. K. Landbauamt Bayreuth.

vier Jahre später war das ganze kolossale Gebäude unter Dach. Weitere Nachrichten über die Baugeschichte des Bayreuther Theaters als diese wenigen nüchternen Angaben sind uns leider nicht erhalten geblieben.

Schon vor der gänzlichen Vollendung des Rohbaues hatte man auf die Innenausstattung des Theaters Bedacht genommen und ein Mitglied der weltberühmten Bologneser Künstlerfamilie der Galli-Bibiena nach Bayreuth berufen. Wo irgend damals in Europa es ein neuerbautes Theater auszuschmücken gab, wandte man sich an einen der Bibiena; von Petersburg bis Lissabon, von Neapel bis London hatten diese Künstlerbrüder, deren einmal (um 1750) acht zu gleicher Zeit thätig waren, über ganz Europa ihre Kunstfertigkeit und ihr Virtuosentum wie ein goldenes Netz ausgespannt.

Kaum 18 Jahre alt war Carlo, ein Sohn des kaiserlichen Premier-Ingenieurs und Hofarchitekten Giuseppe Galli-Bibiena, im Jahre 1746 von Wien aus an den fränkischen Hof gekommen, wo er wohl bald mit der Dekoration des eben im Bau begriffenen Opernhauses im Sinne der von seinem Vater und seinem Grossvater Ferdinando überkommenen Kunstlehre begann. Ihm gesellten sich heimische Meister zu, die nach seinen Anleitungen einzelne Details anfertigen mussten. So malte der Hofmaler Wilhelm Ernst Wunder Teile der prachtvollen Deckenausstattung, Johann Christian Drechsler in Erlangen lieferte die 500 holzgeschnitzten Wandleuchter; mit der Vergoldung, die verschwenderisch über den ganzen glänzenden Raum ausgebreitet ist, wurde der „Hof- und Kabinetvergolder und Staffirmaler“ Joh. Nik. Grüner betraut, dem dann gar bald die damals schon arg geschwätzige Fama Bayreuths nachsagte, er habe sich mit dieser Arbeit ein Vermögen erworben.

Carlo Bibiena hatte indess nur den vorbereitenden Teil der Innenausstattung übernommen, besonders wohl die Ausstattung der Gallerien ausgeführt. Der eigentliche schöpferische Geist des ganzen herrlichen Raumes war jedoch Carlos Vater Giuseppe, nach dessen Zeichnungen und Anweisungen der Sohn einstweilen die mehr handwerksmässigen Arbeiten geleitet und dem künstlerischen Genius seines Vaters die Stätte zur vollen Entfaltung vorbereitet hatte. Von Dresden, wo er am Hofe Friedrich August II. gearbeitet hatte, kam

4. Opernhaus. Deckenbild.

Giuseppe Galli-Bibiena im März des Jahres 1748 mit einem Empfehlungsschreiben des Kurfürsten nach Bayreuth. Hier war für die Dekoration des Opernhauses gewiss noch das Meiste zu thun übrig. Dem Virtuosentum des Bolognesen bereitete jedoch die Grösse der Aufgabe kaum nennenswerte Schwierigkeiten; die ganze Riesenarbeit der Dekoration bewältigte er in knapp einem halben Jahre. Schon am 4. September 1748 scheidet er wieder aus dem Dienst des Markgrafen, nachdem er nochmals „wegen seiner gehabten Mühewaltung und bezeugten Fleisses 1000 fl. rh. zu einem Present, dann 100 fl. Reisekosten“ erhalten hatte.

Am 24. Januar des Jahres 1754, dem Geburtstage des Königs von Preussen, wurde das schon vorher öfters in Benützung genommene Theater erst eigentlich feierlich eingeweiht.

Aber der stolze Bau hatte ein gar klägliches Geschick; schon bald nach seiner Vollendung

Tafel 6. H. Brand, Hofphotograph, Bayreuth.

Opernhaus. Fürstenloge.
Dekoration von Giuseppe Galli-Bibiena 1748.

stellten sich wegen Beleuchtung und Beheizung grosse Schwierigkeiten heraus, sodass man die Aufführungen des ohnehin eingeschränkten „Opernétats“ auf die kleine Bühne in dem ebenfalls von St. Pierre erbauten Reithaus verlegte.

Heute finden wieder zur wärmeren Jahreszeit ab und zu dort Vorstellungen statt.

Bei dem Bau des Opernhauses war dem fürstlichen Hofarchitekten Josephe St. Pierre, der bereits am 19. Juli 1743 in die Dienste des Markgrafen Friedrich getreten war, zum erstenmal eigentlich Gelegenheit geboten, die bei seiner Aufnahme von ihm geforderte „capacité“ auch in die That umzusetzen. Mit bewundernswertem Geschick löste der französische Baumeister seine in künstlerischer und technischer Beziehung nicht eben leichte Aufgabe. Die glänzende heimatliche Schulung, die er an Blondels Pariser Bau-Akademie sich erworben hatte, kam ihm hier besonders gut zu statten.

42. Opernhaus. Trompeterloge.

Schon im Grundriss schliesst sich das Bayreuther Opernhaus an französische

Theaterbauten dieser Zeit an, nur mit dem gewiss beachtenswerten Unterschied, dass in der fränkischen Fürstenstadt die Masse fast alle doppelt so gross gegriffen sind, wie beispielsweise bei der weltberühmten „Comédie française". Die Bühne allein ist in Bayreuth 30 m lang, und hat bei einer Höhe von 14,60 m eine Breitenausdehnung von 13,90 m, gewiss ganz enorme Abmessungen. Sehr wichtig ist auch der ganz selbständige Foyervorbau, den das Bayreuther Opernhaus im Gegensatz zu allen gleichzeitigen Theaterbauten aufweist (Abb. 40).

Bei der Fassade des Theaters konnte St. Pierre sein künstlerisches Geschick freier und selbständiger entfalten, wenn er sich im Grossen und Ganzen auch hier an die Regeln und Lehren der unfehlbaren Pariser Akademie anlehnt.

Ueber dem gequaderten Erdgeschoss des breiten Mittelrisalits mit seinen drei rundbogigen Eingangen erheben sich, eingestellt in ein Pilastersystem, vier mächtige korinthische

41. Opernhaus. Angeblich erste Dekoration. Zeichnung Carlo Bibiena's. Sammlung des hist. Vereins von Oberfranken.

Säulen. Zwischen ihnen öffnet sich das Hauptstockwerk mit drei geradlinig verdachten Ausgangen auf eine Altane, die auf flott geschwungenen Konsolen aufsitzt. Die ganze Front des jetzt zwischen Privathäusern eingebauten Gebäudes schliesst über dem gut entwickelten Hauptgesims etwas schwer eine stattliche figurengeschmückte Attika ab, die einst wohl ohne das heutige hässliche Pultdach als Veranda gedacht war. Ein riesiges Mansarddach deckt das eigentliche Theatergebäude (Abb. 39)

Das Innere des Bayreuther Opernhauses hat sich heute noch den ganzen Reiz seiner Prachtdekoration aus den Tagen des Markgrafen Friedrich in seltener Frische bewahrt. Vier stattliche korinthische Halbsäulen, mit Lorbeerzweigen, Weinlaub und Blumen umwunden, rahmen die Bühne ein; ihr weit gespannter Korbbogen wird von dem fürstlichen Wappenschild mit weiblichen Posaunenengeln und der Königskrone geschmückt, die die Fürstin mit in die Ehe gebracht hatte (Abb. 1). Statt der Proscenumslogen schliesst sich links und rechts der Bühne je ein Säulenpaar an, zwischen dem ein übereck gestellter Balkon für das Trompetercorps angebracht ist (Abb. 42). Verbunden wird das Ganze durch ein mächtiges Gesims, das über den „Trompeterlogen" überragt wird von den Namenszügen des fürstlichen Erbauers und seiner Gemahlin in schweren Kartuschen; darüber zwei sitzende allegorische Frauengestalten in goldenen Gewändern und waffenstarrende Trophäen.

Vier Reihen Logen übereinander umrahmen den riesigen Raum, dessen Prachtdekoration erst in dem Mittelpunkt der ganzen Anlage, der Hofloge, zu voller Gestaltung einsetzt (Tafel 6). Hier ebenfalls die lorbeerumwundenen Säulen der Bühne, von einem Baldachin überdeckt, auf dem Blumen streuend zwei reizende Putten sitzen und wieder zwei allegorische Frauengestalten, die Königskrone zwischen sich und den roten Adler, des Fürstentums Wappentier. Darüber wieder ein Aufbau von vier schlanken Karyatiden, welche die obere Brüstung

41. Opernhaus. Detail der Dekoration.

tragen mit der ebenfalls von Putten begleiteten Inschrifttafel, auf der sich auch der Künstler in berechtigtem Stolz über sein wohlgelungenes Werk genannt hat:

PRO FRIEDERICO ET SOPHIA
IOSEPHUS GALLUS BIBIENA FECIT.
ANNO MDCCXLVIII.

Die Decke wird durch überhöhte Holzrahmen in einzelne Felder geteilt, die mit Gemälden geschmückt sind. Das Mittelstück nimmt eine leider heute arg zerstörte Apotheose Apolls und der Musen ein (Abb. 41).

Der Gesamtton der Farbengebung ist in dem ganzen grossen Raum ein mit grossem Verständnis einheitlich durchgeführter, ein müdes vornehmes Blaugrau, das sehr vorteilhaft mit den aufgemalten ockergelben Ornamenten und der reichen Vergoldung der meisten Schnitzarbeiten kontrastiert.

Nichts ist irriger, als in der Innenausstattung des Bayreuther Opernhauses, wie es bis jetzt fast immer geschehen, ein Werk des „üppigsten Rokoko" zu sehen. Von einer Rokokodekoration kann hier durchaus keine Rede sein; im Gegenteil, überall in der ganzen Anlage ausgesprochener italienischer Barok in den Formen, wie er eben ein Erbteil der Bologneser Dekoratorenfamilie geworden war, die auch hier wieder alle Requisiten ihrer Kunstlehre spielend zur Anwendung zu bringen wusste.

Gerade das starke Betonen der konstruktiven Aufgabe der einzelnen architektonischen Glieder, die konsequente Durchführung des Tragmotivs von den mächtigen Säulen durch die Karyatiden bis zu den Pilastern, auf denen der Plafond zu ruhen scheint, alle diese Momente stehen vereint mit der Bildung fast des gesamten Details in bewusstem Gegensatz zu den Prinzipien des Rokoko, das eben diese architektonischen Tragglieder zu beseitigen und aufzulösen bestrebt ist und ein Freiwerden des ganzen Baugedankens von konstruktivem Zwang zu erreichen sucht. Einzelne Details allerdings, wie das geschnitzte und vergoldete Muschelwerk an den Logenbrüstungen, das zudem anscheinend von Bibiena gar nicht vorgesehen war, mag immerhin später unter dem Einfluss St. Pierre's angebracht worden sein, um den glänzenden, prunkvollen Eindruck dieses eigenartigen Festraums noch zu erhöhen.

# Die Eremitage.

Seit sich der vierzehnte Ludwig, des ewigen Prunks und des glänzenden Königtums überdrüssig, in die Wälder um Marly zurückgezogen hatte, um dort in seiner weltvergessenen „Eremitage" seine Tage in beschaulicher Ruhe zu verbringen, war es das Bestreben weitaus der meisten deutschen Fürsten, auch in dieser Marotte den Sonnenkönig zu imitieren und sich ein Buen retiro zu schaffen, wo sie sich von den ohnehin nicht allzu drückenden Regierungssorgen ausruhen konnten.

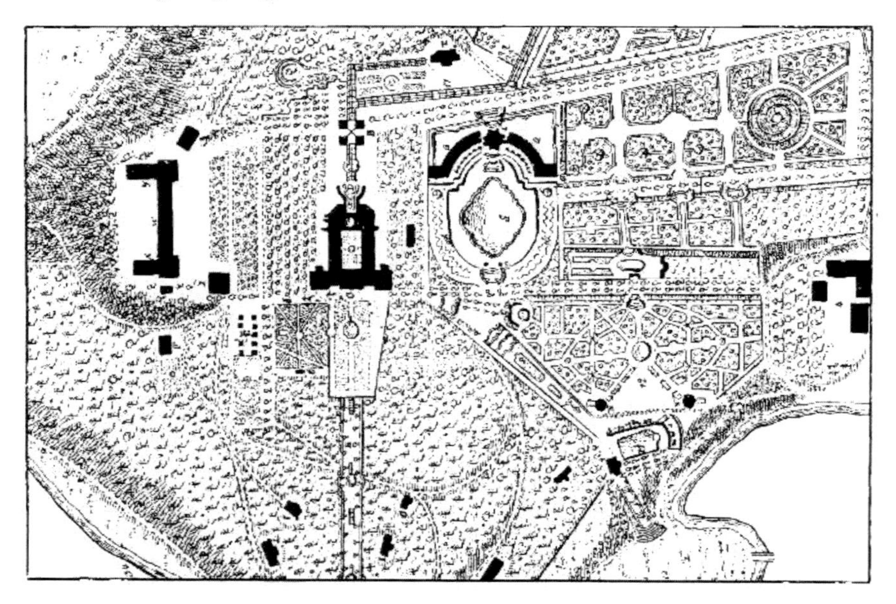

45. Eremitage. Planskizze eines Teiles der Anlage. Nach einer Steinzeichnung von F. C. Birner. Bayreuth 1812.

Im allgemeinen Wetteifer mochte natürlich auch Bayreuth nicht zurückbleiben. Schon in den letzten Regierungsjahren des Markgrafen Christian Ernst hatte der französische Einfluss, dem sich Deutschland damals so widerstandslos unterwarf in allen Lebensäusserungen, in Sprache und Kleidung, in Musik und Theater, in Kunst und Wissenschaft, auch an dem Hof der fränkischen Markgrafen Eingang gefunden und rasch festen Fuss gefasst.

Was man auch damals schon mit Gelegenheitsschriften und Flugblattern und von Lehrstuhl und Kanzel herab gegen den Franzosenteufel wetterte, wer sich ihm einmal verschrieben, der war ihm auch für immer widerstandslos preisgegeben.

So musste auch der Nachfolger Christian Ernsts, der leichtlebige und prunksüchtige Georg Wilhelm, kaum zur Regierung gelangt, wie der Sonnenkönig seine Eremitage haben.

Oestlich der Stadt Bayreuth liegt, von einem Arm des roten Mains auf drei Seiten umschlungen, ein ziemlicher Hügel mit einem schönen Bestand alter Buchen. Hier liess Georg Wilhelm ausgedehnte künstliche Gartenanlagen schaffen und durch seinen Bauinspektor Johann David Ränz, einen Angehörigen der uns bereits bekannten Bayreuther Architekten- und Bildhauerfamilie, ein Gebäude aufführen, das in dem grössten Teil seiner Anlage die Vorstellung erwecken sollte, als wären die einzelnen Zimmer Zellen, die in den gewachsenen Stein gehauen seien. Da hauste dann der Fürst mit seiner Gemahlin und anderen Gleichgesinnten seines Hofes, als Eremiten verkleidet; ein Glöcklein rief die Büssenden zur gemeinsamen Mahlzeit ins Refektorium,

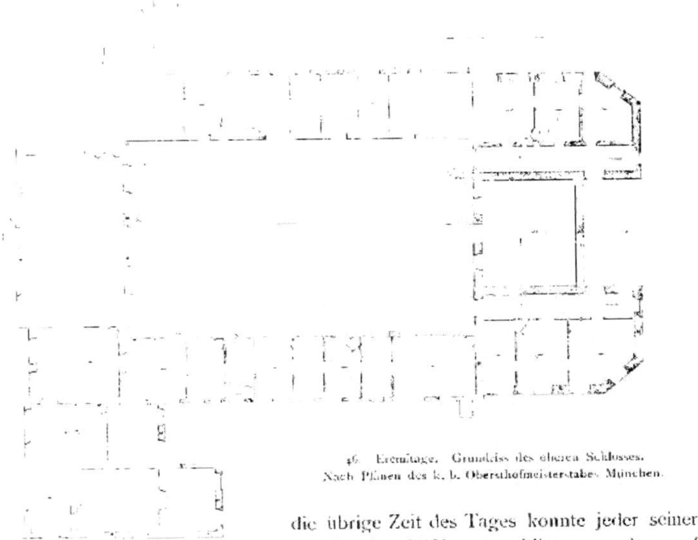

46. Eremitage. Grundriss des oberen Schlosses.
Nach Plänen des k. b. Oberstihofmeisterstabes München.

die übrige Zeit des Tages konnte jeder seiner Lieblingsbeschäftigung obliegen, oder auf Abenteuer ausgehen oder aber in zärtlichem Schäferspiel mit seiner Phyllis tändeln.

Manch' bösen Spott musste sich der Fürst und seine Weissenfelser Laïs wegen ihres merkwürdigen Gebahrens da draussen in ihrer Einsiedelei doch gefallen lassen, wenn das Urteil auch freilich nicht überall so herb ausgefallen sein mag, wie das der mit einer ziemlich beissenden Kritik begabten Pfalzgräfin Liselotte, der Gattin des Herzogs Philipp von Orleans. „Der marggraff von Bareydt", schreibt sie einmal 1721 an ihre Halbschwester die Raugrafin Luise, „und seine gemahlin sollen ein doll par sein; l'esprit de vertige regirt woll ahn diesem hoff auch mitt ihrer einsiedeley . . . Seindt sie in der that gotsfürchtig dabey, kan man sagen, dass sie narren in folio sein undt nicht wissen, wass sie thun".

Noch weniger als Georg Wilhelm konnte sich natürlich Markgraf Friedrich dem französischen Einfluss entziehen. Der fränkische Musenhof wurde gar bald ein Dorado für herumziehende französische Schauspieler und Balletmeister, Sprach-, Fecht- und Tanzlehrer, für französische Maler, Bildhauer und Architekten und nicht zuletzt auch für französische Kavaliere, die sich, oft in der Heimat verkracht und gemieden, am Hof irgend eines der deutschen Duodezfürsten immer noch eine sehr geachtete und einträgliche Stelle zu ergaunern wussten. Was aus Paris kam, musste gut, ja vollendet sein; versteigt sich doch sogar die Markgräfin in ihren weltbekannten Memoiren selbst einmal zu dem allerdings etwas absurden Satz: „Jeder Franzose, der sich in einem fremden Lande niederlässt, ist so adelig wie der König, wäre auch sein Vater Gastwirt oder Lakai in Paris gewesen.“ Und wenn sich Markgraf Friedrich auf vielen seiner Münzen und Medaillen im Widerspruch mit seinem wirklichen Profil mit einer scharf gebogenen Hakennase hat abbilden lassen, so hat er es

47. Eremitage. Oberes Schloss. Festsaal.

vielleicht nur deswegen gethan, um auch in seiner äusseren Erscheinung den vergötterten Bourbonen so ähnlich zu werden, wie er es im Denken und Fühlen längst schon geworden war.

So ist es beinahe selbstverständlich, dass auch Markgraf Friedrich den königlichen Gedanken von Marly in Georg Wilhelms Eremitage wieder aufgenommen, weiter gebildet und verfeinert hat. Nicht mehr ausschliesslich kindischen Spielereien und eitlem Theaterprunk dienen jetzt die Zellen der Einsiedler; dem Geschmack und dem Geist wurde nun auch hier ein Tempel errichtet. Friedrichs Gemahlin gründete inmitten der traulichen Einsamkeit ihre „Abtei“, wo sie mit ihrem Bruder und Voltaire und anderen Geistesfürsten ihrer Zeit briefliche und mündliche Zwiesprache pflog. So war die Eremitage gar bald recht eigentlich der Mittelpunkt des kleinen Reiches geworden, wo die Fäden aller schöngeistigen und künstlerischen Beziehungen zusammenliefen, welche die vielseitige Friederike Sophie Wilhelmine überall anzuknüpfen verstand. Hier, wo sie Tage der tiefsten Selbsteinkehr zubrachte, wo sie als Aebtissin ihre „Brüder“ und „Schwestern“ empfing, wo sie ihre viel umstrittenen, viel bewunderten und viel verlästerten Memoiren niederschrieb, musste sich das ganze Milieu dem Charakter der einen Persönlichkeit anpassen, und gar bald atmete auch hier alles den Geist jener einzigartigen Frau.

Auch Georg Wilhelms Zellenbau musste sich eine Umgestaltung gefallen lassen; an den Haupttrakt fügte die Fürstin, die hier auf ihrem eigenstem Gebiet — der Markgraf hatte ihr die Eremitage am 3. Juli 1736 an ihrem Geburtstage geschenkt — unumschränkt schaltete und waltete und mit allerpersönlichstem Interesse selbst an der künstlerischen Ausgestaltung ihres Lieblingsplätzchens mithalf, wohl bald nach 1736 auf jeder Seite fünf neue Zimmerchen an. Von der alten Eremitage blieb nur die Hauptfassade und die Innendekoration des Festsaales und der Grotte erhalten. Der Grundriss dieses Gebäudes, des jetzigen oberen Schlosses ist ein sehr einfacher (Abb. 46); ein Rechteck, dessen Längsseiten die kleinen Zellen der Einsiedler einnehmen, während die Schmalseiten durch den Festsaal und durch den gegenüberliegenden Grottenbau gebildet werden. (Abb. 48.) Die hier den regelmässigen Grundplan überschreitenden Räume sind die von der Markgräfin Friederike Sophie Wilhelmine angebauten Zimmer.

Den inneren Hof des oberen Schlosses schliesst eine stark gequaderte Rustika-Architektur ein, die den Anschein erwecken sollte, als befände man sich hier in einem Felsen-

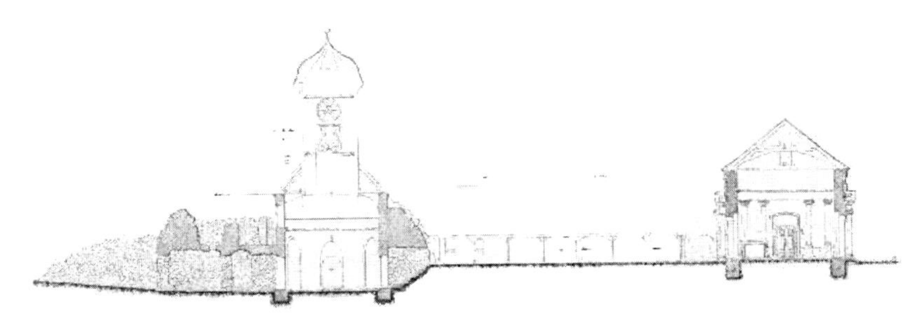

48. Eremitage. Querschnitt durch das obere Schloss und den Grottenturm.
Nach Plänen des k. b. Obersthofmeisterstabes München.

labyrinth und betrete von da aus die in den gewachsenen Stein gehauenen Zellen. Von glatten Steinen ist nur die einstöckige Front des Hauptsaales erbaut; ihr Ausgang gegen den Hof wird von zwei jonischen Säulen flankiert, darüber ein stark gebrochenes Gebälk mit zwei sitzenden Frauengestalten. Nach der Gartenseite weist die Fassade des Saales die gleiche Dekoration auf; die rückwärtigen Flügel sind auch hier in wuchtiger Rustikamanier gehalten.

Der Saal, das sog. Refektorium, hat im Innern noch seine Dekoration aus der Zeit Georg Wilhelms beibehalten; ein Meisterwerk aber hat Ränz damit eigentlich nicht geschaffen. Charakteristisch für die Frühzeit des 18. Jahrhunderts sind alle architektonischen Glieder äusserst willkürlich gebildet. Nur ganz entfernt klingen die Kapitäle der roten Marmorpilaster an komposite Vorbilder an, ganz frei ornamentiert ist der Konsolenfries, auch die Decke ist nicht gerade sehr stilvoll gegliedert. (Abb. 47.)

Von diesem „Refektorium" aus folgen wir dem Weg, den die Markgräfin selbst uns in ihren Memoiren bei Beschreibung ihres Tuskulums führt. Das erste Zimmer im Südostflügel, das eine Reihe von Fürstenporträts — angeblich von Angehörigen des österreichischen Kaiserhauses — enthält, hat von seiner ursprünglichen Dekoration, die es unter der Markgräfin Friederike Sophie Wilhelmine erhalten, noch die Deckenverzierung gerettet; in reichvergoldetem Stukkrahmen, gold auf blau, ein grosses Gemälde, die Frauen Roms darstellend, wie sie die ewige Stadt vor feindlicher Plünderung bewahren.

Tafel 7. H. Brand, Hofphotograph, Bayreuth.

Eremitage. — Oberes Schloss. Musikzimmer.

Ein Deckenbild ähnlichen Stiles mit der Geschichte von Chelonide und Cleobrontas findet sich gleich im nächsten Zimmer, das bereits zu den von der Markgräfin angebauten Räumen gehört. (Abb. 49.) Hier hat sich auch der Maler dieses Bildes italienischer Sitte entsprechend verewigt: Stephanus Torelli pinxit Anno 1740. Diesem Meister Torelli, einem Mitglied der Bologneser Eklektikerschule, dürfen wir auch das Gemälde der vorhergehenden Zimmer, sowie die beiden anderen Deckenbilder im südlichen Flügel des Gebäudes zuschreiben.

49. Eremitage Oberes Schloss, Zimmer der Markgräfin.

In dem erwähnten zweiten Zimmer hängen wieder einige fürstliche Porträts, von denen das eine stets mit einem lokalpatriotischen Eifer als Bildnis „der Markgräfin" bezeichnet wird. Eine Wiederholung des gleichen Bildes befindet sich im neuen Schloss zu Bayreuth und gilt dort als „die Pfalzgräfin" (!), die zweite Gemahlin des Markgrafen Friedrich!

Mit Erwähnung dieser Thatsache habe ich gleich einen sehr wunden Punkt der Forschung berührt, denn ebenso wie die ganze Geschichte der fränkischen Hohenzollern liegt auch die Bestimmung ihrer Porträts sehr im Argen. Ich habe zwar meine eingehenden Studien über diese Fragen noch nicht abgeschlossen, soviel jedoch dürfte jetzt schon ohne Weiteres klar sein, dass dieses Porträt die Markgräfin gewiss nicht vorstellt. Ganz abgesehen davon, dass es nicht die geringste Aehnlichkeit mit unserer Fürstin hat, ist es auch auf der Rückseite — was bis jetzt Niemand beachtet — ganz deutlich bezeichnet: „Peint par P. Als Copenhg." Da nun Friederike Sophie Wilhelmine niemals in Kopenhagen war, ist klar, dass hier eine andere Dame dargestellt sein muss. Ich glaube bestimmt in diesem Porträt die Tante der Markgräfin zu erkennen, Sophie Magdalena von Brandenburg-Kulmbach, eine Schwester des Markgrafen Georg Friedrich Karl, die König Christian VI. von Dänemark geheiratet hatte.*)

50. Eremitage. Oberes Schloss. Detail aus dem chinesischen Zimmer.

Von anderen Gemälden seien hier nur die ausdrücklich genannt, die auch in unserem Buch im Bilde erscheinen, ein Porträt des Markgrafen Albrecht von Ansbach (1634—1667), vermutlich von Willem Honthorst gemalt (Abb. 53), ein angebliches Bildnis des Erbauers des Schlosses Johann David Räntz (Abb. 57), und das entzückende Porträt der Elisabeth Friederike Sophie, der einzigen Tochter des Markgrafen Friedrich, wohl eine Arbeit des Hofmalers Matthias Heinrich Schnürer (Abb. 7).

Das kleine Eckzimmer dieses Flügels bildet das berühmte chinesische Kabinet, das die Markgräfin von ihrem königlichen Bruder zum Geschenk erhalten hatte.

Seit die Einführung des sog. chinesischen Geschmacks in die dekorative Kunst einigen französischen Künstlern, wie besonders Watteau, Pillement und Boucher geglückt war, wimmelte es in der Ausstattung aller französischen Schlösser — und damit selbstverständlich auch in ihren

*) Es mag hier kurz bemerkt werden, dass auch das Porträt, das ich nach Holle's Vorgang (Geschichte der Stadt Bayreuth. Neuausgabe. Bayreuth 1901.) in meiner „Kunst am Hof der Markgrafen von Brandenburg, fränkische Linie" als Tafel XII brachte, nicht den Markgrafen Friedrich, sondern seinen Minister, den Grafen Friedrich Ellrodt († 1765) darstellt. An anderer Stelle darüber ausführlicher!

51. Eremitage. Oberes Schloss. Chinesisches Zimmer.

deutschen Nachahmungen — von Details, die dem Leben oder der Kunst der Chinesen entnommen waren; neben ganzen Räumen, die man Wunder wie echt ausgestattet glaubte, finden sich solche Phantastereien à la chinoise überall in der Dekoration, überall diese bezopften Leutchen eingezwängt zwischen Ranken und Schnörkelwerk, an der Decke, an Stühlen und Tischen, in Spiegelrahmen oder als ernsthaft nickende Pagoden auf dem Marmorkamin.

Und nun konnte in Bayreuth die Markgräfin nicht nur ein im chinesischen Geschmack ausgestattetes Zimmer ihr eigen nennen, dank der Freigebigkeit ihres Bruders war sie sogar in den Besitz einer ganzen echten Einrichtung aus dem Reiche der Mitte gelangt. (Abb. 51). Die Dekorationsart ist hier eine ganz eigenartige. Auf grosse Holztafeln sind in ziemlich flachem Relief bildliche Darstellungen aus bunt lackierter Masse aufgesetzt. Das ganze fremdländische Leben spielt sich in diesen Genreszenen vor unseren Augen ab, Kampf und Gericht, Handel und Schiffahrt, Tanz und Theater, Scherz und Ernst. (Abb. 50). Die wenig stilgerechten Umrahmungen sind natürlich ebenso wie die chinesisierenden Spiegelrahmen Arbeiten eines Bayreuther Bildhauers.

52. Eremitage. Oberes Schloss. Musikzimmer.

Mit berechtigtem Stolz erzählt die Markgräfin von diesem ihrem Boudoir, es sei die allereinzige derartige Dekoration, die nach Europa gekommen sei.

Der klassische Rokokoraum der ganzen Eremitage aber ist erst das anstossende Musikzimmer. Das entzückende Boudoir wirkt fast selbst wie Musik, wie eine Form und Farbe gewordene, graziöse Menuettmelodie. Auf grün marmorirtem Grund weisse Felder mit goldenen Musikinstrumenten, darüber kokette Bildnisse verführerisch schöner Frauen, alles umschlungen von den zierlichsten Rocailleranken. (Abb. 52.) Auf der Decke tummeln sich zwischen Blumen, Instrumenten und goldenen Guirlanden lustige Putten; einer freut sich an einem Vöglein, das er an einer Schnur aufflattern lässt, ein anderer wiegt sich vergnügt in einer improvisierten Schaukel. (Abb. 54). Die Mitte nimmt ein Orpheus ein, umringt von allerlei phantastischem Getier. (Tafel 7).

53. Eremitage. Oberes Schloss. Markgraf Albrecht von Ansbach.

Das letzte Zimmer dieses Flügels war einst das Studierzimmer der Markgräfin. Hier entstanden die Memoiren. Die Dekoration dieses kleinen Gemaches ist jedoch nicht mehr die ursprüngliche „aus braunem Lack mit natürlichen, in Miniatur gemalten Blumen", wie sie die Fürstin selbst beschreibt. Die heutige Ausstattung ist eine zwar originelle, aber nicht sonderlich geschmackvolle. In glatte Holztafeln hat man Spiegeltrümmer, die aus dem Schutt des 1753 abgebrannten alten Stadtschlosses hervorgezogen worden waren, in unregelmässiger Form und Anordnung eingesetzt. Es würde sich sicher lohnen, diese Holzwände zu entfernen und die ursprüngliche Dekoration wieder aufzudecken; als Spiegelzimmer könnte dann leicht einer der nebenliegenden, fast schmucklosen Räume eingerichtet werden. Dann würde auch die Decke des Schreibzimmers mit ihren chinesischen Figürchen in blauer Luft besser als jetzt dem Gesamteindruck sich anpassen (Abb. 55).

54. Eremitage. Oberes Schloss. Detail aus dem Musikzimmer

Der Nordwestflügel des Gebäudes war für den Markgrafen bestimmt. Hier ist leider weniger von der ursprünglichen Dekoration erhalten, als in dem gegenüber liegenden

55. Eremitage. Oberes Schloss. Schreibzimmer der Markgräfin.

Trakt. Die beiden ersten Gemächer sind mit grösseren Deckengemälden geschmückt, die in Stil und Ausführung denen des Damenflügels entsprechen. Das im ersten Zimmer stellt den Knaben Alexander dar, wie er verschwenderisch Weihrauch streut und deshalb von seinem Lehrer Aristoteles getadelt wird, angeblich nach einem Kupferstich Lebrun's. (Abb. 58) Das Deckenbild des zweiten Zimmers bringt den Empfang des Themistokles bei Artaxerxes. Die Gobelins dieses Raumes, die einst die ganze Lebensgeschichte des griechischen Feld-

56. Eremitage. Oberes Schloss. Detail aus den Zimmern des Markgrafen.

herrn darstellten, sind verschwunden; erhalten blieben jedoch die schönen Holzschnitzereien — Waffentrophäen in reicher Vergoldung — über den Spiegeln und in den Fenstergewänden (Abb. 59).

Die anderen Deckengemälde, die die Markgräfin als von ihr in diesem Flügel angeordnet noch erwähnt, Mucius Scaevola und Leonidas bei Thermopylae sind heute übertüncht; vielleicht erstehen auch sie einmal wieder in alter Farbenpracht!

Der dem Festsaal gegenüber liegende Grottenbau hat im Gegensatz zu den Wohnräumen wieder seine Dekoration aus der Zeit Georg Wilhelms beibehalten. Die Wände des oben in einen Kuppelturm ausgehenden Raumes sind vollständig mit bunten Steinchen bekleidet, die in ganz freier Anwendung architektonische Formen nachbilden, dazwischen Delphine und fischgeschwänzte Wassernixen, Medaillons mit dem Namenszug des Erbauers Georg Wilhelm und seiner Gemahlin Sophie von Sachsen-Weissenfels und Wappenschilder mit dem Brandenburger roten Adler und dem Rautenkranz des sächsischen Wappens.

57. Eremitage. Oberes Schloss.
Angebliches Porträt des Erbauers Johann David Räntz.

Auch Markgraf Friedrich und seine Gattin haben sich durch ihren nachträglich eingesetzten Namenszug hier verewigt. (Abb. 60). Kunstvolle Spielereien und witzig sein sollende Ueberraschungen bieten die Wasserwerke der Grotte heute noch übergenug.

Wie bei dem Bau des Bayreuther Opernhauses, so hat auch bei ihrer Eremitage die Markgräfin erst in dem französischen Architekten St. Pierre diejenige Künstlerpersönlichkeit gefunden, die es verstand, ihre Träume in die That umzusetzen. Erst mit St. Pierre's Berufung im Jahre 1743 beginnt die künstlerische Blüthezeit des Fürstentums, die

58. Eremitage. Oberes Schloss. Deckengemälde. Gemalt nach Lebrun von Stephano Torelli 1740.

eigentliche Glanzperiode der Eremitage. Denn St. Pierre kam von Paris, wo er die Schule Blondels und Lenôtre's genossen haben dürfte, und von der Hauptstadt der Welt brachte er an den entlegenen Fürstenhof das Allerneueste mit, die „haute nouveauté" von dem tonangebenden Hofe der Bourbonen.

Was wir an vielen Schöpfungen Ludwigs XIV., besonders bei seinem Tuskulum in Versailles, am Meisten bewundern, die geistvolle Vereinigung von Kunst und Natur, die fast organische Verbindung landschaftlicher Elemente und architektonischer Gebilde zu einem lebendigen Gesamtkunstwerk, dieses Problem hat auch St. Pierre in fast klassischer Weise zu lösen verstanden bei seiner Orangerie, einem einzigartigen Bau, den er im Auftrag seiner kunstsinnigen Fürstin der alten Eremitage Georg Wilhelms anfügte.

59. Eremitage. Oberes Schloss. Detail aus dem Zimmer des Markgrafen.

Um sich den gewaltigen Unterschied zwischen diesen beiden Bauten, die zeitlich kaum mehr als ein Menschenalter auseinander liegen, ganz klar zu machen, bedarf es nur eines flüchtigen Vergleiches ihrer Lage. (Tafel 8.) Dort ein viereckiges einfaches Gebäude, mitten in die symmetrischen Linien eines Gartenarrangements hineingesetzt, ohne Rücksicht auf die Umgebung, ohne Berechnung auf eine Wirkung nach aussen hin. Und hier eine Wand glitzernder Kristallsäulen, die

60. Eremitage. Oberes Schloss. Grottensaal.

sich in schön geschwungenem Halbrund anmutig einer Terrainwelle anschmiegt, überragt und eingerahmt von mächtigen, uralten Baumriesen. Davor das gleissende Farbenspiel zerstäubter Wasserstrahlen und über dem Ganzen der lichtblaue Himmel eines sonnenfrohen Sommertages! Ob dieses Bild nicht doch auch dem nüchternsten Beobachter ein klein wenig von dem Geist des Rokoko zu vermitteln im Stande ist?

Die sogenannte Orangerie St. Pierre's ist eine freie Nachbildung von „grand Trianon“

im Park von Versailles und besteht aus drei selbständigen einstöckigen Bauten, zwei Längsflügeln, die einen achteckigen Mittelbau einschliessen. (Abb. 62.) Den Pfeilerarkaden der Innenseiten sind gekuppelte Säulen vorgestellt, die aus bunten Steinchen, Glasschlacken

61. Eremitage. Sonnentempel. Durchschnitt. Nach Plänen des k. b. Obersthofmeisterstabes München.

und Krystallen zusammengesetzt sind; darüber Büsten römischer Imperatoren. Der achteckige Mittelbau, gewöhnlich der Sonnentempel genannt, ist mit ähnlich gebildeten Säulen umstellt; den wohl proportionierten Bau schliesst eine hohe Kuppel ab, die einst den

62. Eremitage. Grundriss der Orangerie. Nach Plänen des k. b. Obersthofmeisterstabes München.

reichvergoldeten Wagen des Phöbus trug, von vier Rossen gezogen (Abb. 63).
Ein dreifaches System von Treppen verbindet die Orangerie mit dem untenliegenden Bassin, das den Versailler Wasserkünsten nachgebildet ist. Die üblichen Flussgötter, Meer-

Tafel 8.

H. Brand, Hofphotograph, Bayreuth.

**Eremitage. Oberes Bassin mit Sonnentempel.**

Erbaut von Joseph St. Pierre 1749–1753.

jungfrauen und Seeungeheuer, die sich alle mit heiligem Eifer dem Geschäft des Wasserspeiens hingeben, beleben das Bassin; dazwischen reizende Putten, die auf Seepferden reiten und ähnliche Schöpfungen eines erfindungsreichen Meissels.

63. Eremitage. Sonnentempel

Der kunstvoll geschnittene Laubgang, der sich einst um die ganze Anlage herumzog und die Orangerie mit ihrer Umgebung wie ein kleines Reich höfischen Prunkes abschloss vor der trivialen Aussenwelt, ist heute wie die meisten anderen Schaustückchen des ausgedehnten Parkes — verschwunden; von dem reichen und vielgerühmten plastischen Schmuck der Eremitage blieben auch nur die beiden „kolossalischen" Statuengruppen erhalten, den Raub der Sabinerinnen darstellend, die in ihrer virtuosen Manier zum Besten gehören, was die Plastik des 18. Jahrhunderts in Deutschland hervorgebracht hat. (Abb. 71 u. 72.) Man vergleiche mit ihnen nur einmal die ungefähr gleichzeitigen Arbeiten, etwa zu Salzburg, zu Dresden oder Nymphenburg!

64. Eremitage. Oberes Schloss. Porträt der Markgräfin Friederike Sophie Wilhelmine.

Diese prunkvolle Orangerie entstand in den Jahren 1749 bis 1753; Idee und Anregung dürfen wir der Fürstin, die technische Verwirklichung dem französischen Architekten zuschreiben. Natürlich gebot er dabei über einen ganzen Stab tüchtig geschulter, zum Teil einheimischer Künstler. Bei der Ausführung der plastischen Arbeiten thaten sich besonders hervor die Bildhauer Johann Gabriel Räntz, der Bruder des uns bereits bekannten Bauinspektors, der Tiroler Schnegg, weiterhin Neuhäuser und Martin Mutschelle teils durch selbständige Arbeiten, teils durch Ausführung von Zeichnungen des

Hofbaumeisters. Ebenso meisterhaft sind die Stukkaturen im Innern ausgeführt, an denen Künstler beteiligt wären wie Albini, Carlo Daldini, Andrioli, Bossi und der Mailänder Martino Petrozzi.

Ein gut Teil dieser Arbeiten hat sich bis heute noch erhalten. Wir betreten das Innere der Orangerie am äussersten Ende des rechten Flügels. Das erste, dekorativ

65. Eremitage. Orangerie. Landschaftenzimmer.

gänzlich unbedeutende Zimmer enthält neben manchen wertlosen Malereien eine Reihe fürstlicher Porträts, von denen natürlich das Gleiche gilt, was schon bei den Bildnissen des oberen Schlosses gesagt werden musste. Hier hat sich auch bis jetzt unbeachtet ein Schatz versteckt gehalten, ein Jugendbildnis der Markgräfin Friederike Sophie Wilhelmine. Das entzückende Bild, bei dem der Liebreiz des Gesichtchens raffiniert durch die

Gegenüberstellung mit dem wüsten Mops gehoben wird, gilt als Markgräfin „Margaretha", eine in der Genealogie des ganzen Hohenzollernhauses für diese Zeit vollständig unbekannte Persönlichkeit (Abb. 64).

Das nächste Zimmer weist wieder eine der reizvollen Stukkdekorationen auf, an denen die Eremitage so reich ist, zierliche Rocailleranken, weiss mit blau in einer Technik, die etwas

66. Eremitage. Orangerie. Chinesisches Zimmer.

an Porzellanarbeiten erinnert; dazwischen wieder elegante Blumenarrangements und kleine Porträtmedaillons über den Thüren. Neben einigen unwichtigeren Porträts birgt dieser Raum ein Bild, an welches das Reisepublikum unter Führung des wackeren Cicerone nur mit einem gewissen wohlthätigen Gruseln herantritt. Manch Histörlein weiss die Lokalgeschichte von der sog. weissen Frau, die da abgebildet sein soll, zu erzählen; mir mag es hier, wo

Tafel 9.

Eremitage. Innenansicht des Sonnentempels.

67 Eremitage. Orangerie. Gartensaal.

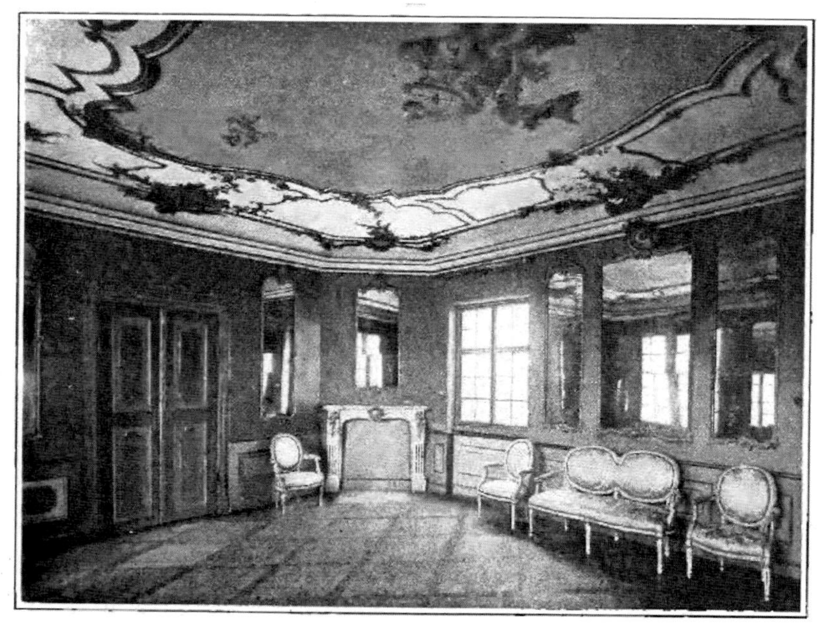

68. Eremitage Orangerie Grüner Salon.

6?. Eremitage. Orangerie. Aus dem Chinesischen Zimmer.

wir den Spuren einer anderen, weisen Frau nachgehen wollen, erspart bleiben, das Märlein von dem berüchtigten Hausgespenst der Hohenzollern weiter zu erörtern. Es soll nur darauf hingewiesen werden, dass das Bild eine Dame vom Ende des 17. Jahrhunderts als Diana mit dem Jagdspiess darstellt. Mit der weissen Frau jedoch hat es nicht das Geringste zu thun; es gehört vielmehr einer Serie von Damenporträts des Malers Johann

Melchior Roos an, von der acht andere heute im k. Nationalmuseum in München aufbewahrt werden.

Neben dem „Gespensterzimmer“ bringt ein kleiner Raum in seiner Holztäfelung zahlreiche kleine Landschaften aus den schönsten Gegenden des Fürstentums, aus dem Fichtelgebirge und der fränkischen Schweiz, in dem bereits um die Mitte des 18. Jahrhunderts allmählig sehr beliebt gewordenen „ächt pittoresken Geschmacke“. Die Bildchen, die gewiss eine eingehendere Würdigung, als sie hier gegeben werden kann, verdienten, sollen von dem Bauinspektor Richter, dem in der Architektur weniger hervortretenden Kollegen St. Pierre's, gemalt worden sein. An der Decke verbinden sich wieder flottgeschwungene, scharfgezackte Rocailleranken mit graziösen Blumenguirlanden (Abb. 65).

Der kunstwissenschaftlich wichtigste Raum des ganzen Flügels aber ist das sog. Gartenzimmer. Es mag hier gleich eingehende Erwähnung finden, wenn es auch sicher erst viel

70 Eremitage. Unteres Bassin.

später als das Gebäude selbst, wohl erst in den siebziger Jahren des 18. Jahrhunderts entstanden ist. (Abb. 67.) Die damals beliebte überschwengliche Naturschwärmerei, für die ein Klopstock so beredten Ausdruck gefunden hat, schuf in der bildenden Kunst einesteils zwar manches Treffliche, indem sie die schnurgeraden steifen „französischen“ Gärten aus der Frühzeit des Jahrhunderts in prächtige „englische“ Parkanlagen umgestaltete, sie hat aber auch andererseits künstlerische Absurditäten, wie eben dieses Gartenzimmer der Bayreuther Eremitage, hervorgebracht.

Jeder architektonische Zwang ist hier in blaue Luft und weisse Wölkchen aufgelöst. Niedere Gitter mit stattlichen Gartenthüren erwecken eher den Eindruck des Freien, Offenen, als den eines abgeschlossenen Raumes. Schlingpflanzen streben an den Latten empor und umarmen die stattlichen Bäume, in deren Laub die Glutorangen sich verstecken; Vogelbauer und plätschernde Wassergrotten und ein Springbrunnen in der Mitte des Raumes beleben das anmutige Bild. Und in den Zweigen der Bäume tummelt sich allerlei Getier,

71. Eremitage. Raub der Sabinerinnen
Nach St. Pierre's Zeichnungen gefertigt von den Bildhauern
Schnegg und Räntz (1750—1752)

Vögel, Eidechsen und possierliche Aeffchen; auf den Pfosten des Gatterthores sitzt ein buntschillernder Papagei, und ein kleines lustiges Vögelchen aus Gips flattert freischwebend gegen den lichtblauen Himmel der Zimmerdecke. Alles in Allem also ein Naturalismus, wie man sich ihn krasser, zugleich aber auch anmutiger nicht vorstellen kann!

Dann folgt wieder das unvermeidliche chinesische Zimmer, hier nicht halb so echt und nicht halb so künstlerisch durchgeführt, wie in dem Kabinet des oberen Schlosses. Die Pergamenttapeten sollen Arbeiten des damaligen Hofmalers Jugel sein. Bei der Decke ist hier neben dem vegetabilischen Element wieder die Zoologie mehr berücksichtigt; scheusslich schillernde Drachen speien aus ihren Nüstern glitzernde Wasserstrahlen gegen zierliche Reiher, die leichtbeschwingt die Luft durchsegeln (Abb. 66).

Der letzte Raum dieses Flügels, der sog. grüne Salon, hat ausser einer trefflichen Stukkdekoration, nach älteren Mustern noch mit Deckenbild, nichts Bemerkenswertes aufzuweisen (Abb. 68).

Von den Zimmern des linken Flügels sind nur zwei besonders hervorzuheben. Das eine bringt den oft wiederholten Gedanken der chinesischen Dekoration einmal in etwas anderer Auffassung. Der Wandsockel ist als Felsen gedacht, aus dem seltsam gewundene Bäume aufwachsen; dazwischen sind nicht ungeschickt imitierte „chinesische" Pergamentmalereien angebracht, Arbeiten des seiner Zeit sehr gerühmten Hofmalers Wilhelm Ernst Wunder. (Abb. 69). Ein Prachtstück ist jedoch die Decke, die umzogen wird von raffiniert zierlichen Blättchen und Blüthchen in ganz naturalistischer Bildung. Bunte Libellen flattern dazwischen hin und her, kleine Vöglein wiegen sich auf den schwankenden Ranken, Schmetterlinge nippen von Blüthenstaub, und beschaulich spaziert ein drolliger kleiner Käfer ein Zweiglein entlang. (Abb. 73). Als Meister dieses kleinen Wunderwerkes wird ausdrücklich der Hof- und Landstukkator Albini genannt.

Das letzte Zimmer ist für die kunstgeschichtliche Forschung sowohl als für die Beurteilung der persönlichen Geschmacksrichtung der Markgräfin Friederike Sophie Wilhelmine deshalb von besonderem Wert, weil es die Kupferstichsammlung der Fürstin, allerdings mit vielen späteren Zusätzen, enthält. Neben einem sehr interessanten Plan der ganzen Anlage „dessiné par Jean Gottlieb Riedel, architecte et peintre, concierge du dit Hermitage" finden sich Abbildungen des päpstlichen Palastes auf Monte Cavallo, sowie der „machina vom Wasserwerk zu Frascati". Neben einer Darstellung der „fontaine d'Apollon" und des „salle du bal dans les jardins de Versailles" bewundern wir den „prospetto del palazzo e giardino Pamphilio detto del Belrespiro" und Ansichten des alten Schlosses zu Bayreuth und des Lustschlosses zu St. Georgen; neben der „chapelle royale de Versailles" eine Abbildung von „des Palastes zu Caprarola innerlicher Gestalt"; neben antiken Reliefs vom Titusbogen Stiche nach Rafaels vatikanischen Fresken. Dazwischen wieder Arbeiten Sandrarts und der Galli-Bibiena oder prächtige Riedinger-Stiche, ein ganzes Sammelsurium also der künstlerischen Werte aus der Mitte des 18. Jahrhunderts.

---

Wie in der äusseren Architektur, so ist auch in der Innenausstattung der Mittelbau, der Tempel des Sonnengottes, ganz besonders ausgezeichnet worden. Bei dieser Dekoration war aber nicht mehr der französische Hofarchitekt St. Pierre, sondern ein anderer jüngerer Meister thätig, Karl Philipp Christian Gontard; wir werden ihn weiter unten (S. 99) noch näher kennen lernen. Im Sonnentempel spricht die künstlerische Formensprache wieder in dröhnendem Fortissimo, nachdem sie sich bei der Dekoration der übrigen Räume der Eremitage meist in einem zärtlich geflüsterten Gracioso gefallen hatte. Acht Säulen aus grauem italienischen Marmor mit metallener Basis und vergoldeten korinthischen Kapitälen tragen die weisse Kassettenkuppel, die mit goldenen Rosetten geziert ist. Goldene Adler in wechselnder Gestalt beleben den grauen Marmorfries des stark verkröpften Gebälkes, auf dem selbst wieder Petrozzis anmutige Putti aus weissem Stukkmarmor sitzen, durch goldene Ranken miteinander verbunden. (Tafel 9.)

72. Eremitage. Raub der Sabinerinnen.
Nach St. Pierre's Zeichnungen gefertigt von den Bildhauern Schuegg und Ranz 1750—1752.

Mit dem gleichen Geschick, mit dem St. Pierre die Orangerie in die landschaftliche

Umgebung hinein zu komponieren verstanden hatte, wusste er auch das ganze umliegende Gebiet in die künstlichen Anlagen mit einzubeziehen, so zwar, dass ein Teil der landschaftlichen Szenerie mit ihren prächtigen Laubwäldern unangetastet blieb, andere weniger reizvolle Partien aber sich den strengen Regeln französischer Gartenkunst anbequemen mussten. Diese letzteren Anlagen sind heute fast alle vollständig verschwunden, denn unter dem Nachfolger Friedrichs, dem Markgrafen Alexander, erfuhr die ganze Eremitage eine nicht unglückliche Umänderung im englischen Sinne.

Die anderen Teile der Anlage, die bereits unter Markgraf Friedrich parkähnlich belassen wurden, zeigten in ihrer Ausstattung schon damals eine entschiedene Hinneigung zu dem späterhin so beliebten sentimentalen englischen Geschmack. Allenthalben im Walde versteckte Eremitenhäuschen aus Baumrinde, in denen der Fürst und sein Hof zeitweise als Einsiedler hauste, wie einst Georg Wilhelm in den Felsenzellen; ein steinernes „romanisches" Theater, als Ruine gedacht mit dem natürlichen Waldhintergrund; das sog. untere Bassin mit reizvollen Wasserspielen (Abb. 70). Dann wieder überall kleine künstliche Wasserfalle, Gartenhauschen mit phantastischer Architektur, überraschende Aussichten mit „herrlichen Prospekten", wasserrieselnde Grotten, ein Tempel des Stillschweigens, künstliche Ruinen und tausend andere, uns jetzt kindisch anmutende Ueberraschungen und Spielereien, wie sie nach dem Tode Lenôtre's, des grossen Gartenmeisters, mit dem beginnenden Verfall seiner Kunst allgemein wurden und so der englischen Richtung zum raschen Sieg verhalfen, der „nur mit eigenen Mitteln geschmückten Natur".

7[illegible]. Eremitage. Deckendetail aus dem chinesischen Zimmer.

# Sanspareil.

„Ah, c'est sans pareil!" — soll einst eine Hofdame der Markgräfin Friederike Sophie Wilhelmine ausgerufen haben, als sie zum ersten Mal die Wunder des kleinen Paradieses sah, das sich die Fürstin in den Buchenwäldern um das alte Waltpotenschloss Zwernitz geschaffen hatte. Nach diesem begeisterten Ausruf gab ein landesherrliches Dekret der neuen Anlage den Namen: Sanspareil.

Der Grundgedanke, der hier zur Ausführung kam, ist der gleiche wie auf der Eremitage bei Bayreuth, die Anlage eines heimlichen Schlupfwinkels in grüner Verborgenheit. Wie

74 Sanspareil. Naturtheater.
Kupferstich von J. G. Köppel (1793). K. Kupferstichsammlung München.

Ludwig XIV. Gross-Trianon gebaut hatte „pour échapper à Versailles" und Ludwig XV. Klein-Trianon „pour échapper au grand", so flüchtete auch die Markgräfin aus ihrem Residenzschloss in Bayreuth auf die Eremitage, von der Eremitage in ihr einsames Sanspareil.

Eines jedoch ist an dieser Schöpfung vor Allem merkwürdig, die Einrichtung der ganzen Anlage nach einem einheitlichen Plan. Sonderbar genug hat bereits um das Jahr 1610 ein einheimischer Poët in dem Buchenhain, der wie ein grünes Eiland mitten in steiniger Sandwüste auftaucht, viel Aehnlichkeit mit der Insel Ithaka gefunden. Diesen Gedanken griff die phantasiereiche Markgräfin wieder auf, angeregt vor allem durch die

5*

Lektüre von Fénelon's Telemach, der wie selten ein Buch sich im Sturm die ganze gebildete und französisch denkende Welt eroberte.

Nirgends aber hat es wohl einen so durchschlagenden Erfolg zu verzeichnen, als in Bayreuth, wo die Fürstin das ganze Milieu des Romans in die Wirklichkeit zu übertragen suchte. In dem Zwernitzer Buchenhain mit seinen „grauenerregenden" Felstrümmen sah man jetzt die Stätten wieder, wo des Dulders Odysseus trefflicher Sohn seinen Abenteuern nachgegangen war. Jeder grössere Steinblock, jedes versteckte Winkelchen, jedes Felsenloch erhielt nun Bedeutung und Namen. Da gab es dann eine Urne des Ulysses, eine Grotte der Kalypso, ein Denkmal der Penelope, eine Mentorgrotte, eine Vulkanshöhle und eine Sirenengrotte, daneben ein Felsen der Liebe, ein „Lustkabinett Bellevedere", eine Amorsgrotte und einen — Regenschirm der Diana. Und zu allem Ueberfluss in dem grossen Theater des ganzen Parkes noch einmal ein eigenes steinernes Theater, als dessen Zuschauerraum die Grotte der Kalypso dienen musste. (Abb. 74.)

75. Sanspareil. Speisesaal mit dem sog. Burggrafen und Markgrafenhaus.
Kupferstich von J. G. Köppel (1793). K. Kupferstichsammlung München.

Auch hier war es der französische Architekt St. Pierre, der die etwas phantastischen Ideen der Markgräfin zur Durchführung bringen half, natürlich wieder in teilweiser Anlehnung an Marly und Versailles, wo wir schon z. B. den Gedanken der Sibyllengrotte in den „bains d'Apollon" vorempfunden finden.

Für den Aufenthalt des Hofes wurde vor dem eigentlichen Park ein „morgenländischer Salon" errichtet, dem sich auf beiden Seiten ein „Burggrafen-" und ein „Markgrafenhaus" anschlossen (Abb. 75). Von diesen einfachen Bauten aus Tuffstein hat sich nur noch der „Salon" mit wunderzierlichen Rocailleranken an der Decke des Mittelsaales erhalten.

Heute ist Sanspareil verlassen und vergessen in weltabgeschiedener Waldeinsamkeit. So hat es sich auch noch viel von dem wehmütigen Zauber jener Tage erhalten, da für das empfindsame Gemut die Steintrümmer zu fürchterlichen Felsen, die Felsspalten zu schaudererregenden Abgrunden wurden und diese „von der Kunst glucklich unterstützte Natur, so reich an Mannigfaltigkeiten, romantisch überladen, die gefühlvolle Seele erheben" und zur „Erweckung edler Empfindungen" anregen sollte.

# Das neue Schloss.

Jahrelang ziehen sich durch die Landtagsverhandlungen des Fürstentums Brandenburg-Kulmbach unausgesetzt endlose Debatten, die durch die Forderung des Markgrafen Friedrich nach Mitteln zur Restaurirung des fürstlichen Residenzschlosses veranlasst worden waren. In der That scheint das alte Hohenzollernschloss, dessen teilweise noch mittelalterliche Bauten gegen das Ende des 17. Jahrhunderts Dieussart äusserlich wenigstens zu einem einheitlichen Ganzen zusammengeflickt hatte, gar bald wieder recht baufällig geworden zu sein. Dann konnten ja natürlich auch die engen, altmodisch mit massiger Schreinerarchitektur und schwerlastenden Stukkdecken ausgestatteten Gemächer den veränderten Anschauungen und den verfeinerten Bedürfnissen nicht mehr genügen, in einer Zeit, wo man Licht und Luft liebte und freie Lage im Grünen, wo man hohe, helle Zimmer schätzen gelernt hatte, deren Dekoration nicht mehr pomphaft und schwülstig war, sondern zierlich und elegant den heiteren Charakter der Zeit zum Ausdruck brachte.

Mag auch die Schilderung, die uns die Markgräfin in ihren Memoiren von der Ausstattung ihrer Residenz gibt, mit allzu grellen Farben aufgetragen sein,

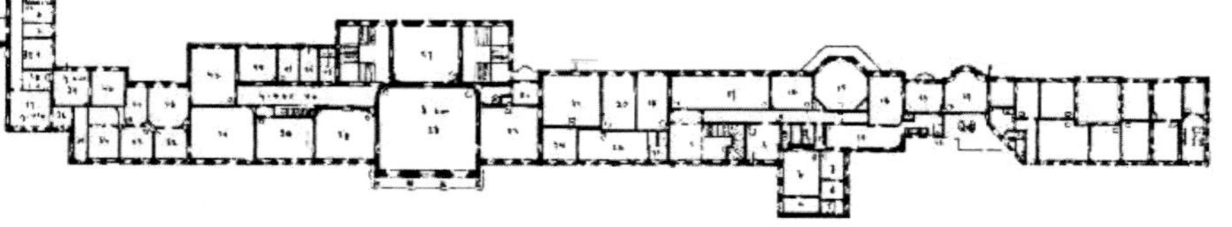

76. Neues Schloss Grundriss des 1. Stockwerkes Nach Plänen des k. Oberstkofmeisterstabes München.

schlimm genug wird es wohl dort während der Regierung des wunderlichen Georg Friedrich Karl ausgesehen haben. Geht ja auch aus den offiziellen Berichten der fürstlichen Baubehörde hervor, dass das Schloss „von der Hof-Capelle an biss über den Reuthersaal zu der herrschaftlichen Küche dermassen mangelbar seye, dass dessen Nieder-Reiss- und Wiedererbauung inevitable seyn wolle“.

Da natürlich auch hier weder die „ordinairen Cammerrevenuen, noch das angeordnete Credit-Negotium der établirten Depositen-Banco-Deputation“ die erforderlichen Gelder aufbringen konnten, wurden selbstverständlich die „getreue liebe Land-Ständte“ um „die erforderliche aushülffe belangt“. Durch die rührendste Schilderung „des dermahligen höchstbeschwehrlichen Zustands des Landschafftlichen aerarii und die hervorscheinende Unmöglichkeit einer so starken Aushülffe“ und durch die weitläufige Aufzählung all' dessen, was sie schon „in unverbrüchlicher Treue und Liebe zu dem gnädigsten Landesfursten fast über die Kräfften des Landes praestiret", suchten die Stände mit ausdrücklicher „Bezeugung der darob empfindenden Bekümmerniss" die vom Hof so dringend gemachte Angelegenheit immer und immer wieder hinauszuschieben.

Da kam dem Landesherrn ein überraschender Zufall zu Hilfe; am 26. Januar des Jahres 1753 brach abends im Schloss plötzlich ein Brand aus, wie man sagte durch Verschulden des Markgrafen, der leichtsinnig mit einem offenen Licht hantiert hatte. Ein grosser Teil des Gebäudes, besonders die älteren Flügel um den quadratischen Innenhof, brannte nieder und nur mit Mühe hielt man das verheerende Element von der Stadt selbst ab. Gar anschaulich und rührend weiss uns ein biederer Bayreuther „Hof-

77 Neues Schloss. Mittelbau.

und Canzleibuchdrucker" und Poët dazu das unglückliche Ereignis in einem gereimten Schmerzensschrei zu schildern, den der allgemeine Jammer ihm abgenötigt.

Angesichts der Thatsache, dass die fürstliche Familie durch das Brandunglück plötzlich so gut wie obdachlos geworden war, half den Ständen natürlich jetzt kein längeres Weigern und Verschleppen. Schweren Herzens musste der Landtag sogar den Bau eines neuen Schlosses bewilligen.

Da wurde denn sofort auch eine allgemeine „Generalcapitation" ausgeschrieben, „wobei weder hohe, noch niedrige, geist- und weltliche, Civil- oder Militärbediente, wes Standes und Würden sie auch seyn, so wenig als die Bürger und Bauern eximiret" sein sollten; jede „hochfürstliche Residenz-Schlossbettmagd" musste ihren halben Kreuzer beisteuern.

Die Ausarbeitung der Pläne für den Neubau übernahm natürlich auch hier wieder der Hofarchitekt St. Pierre. Wenige Wochen schon nach dem Brand überreichte er Plan und Kostenvoranschlag zu „einem Sahl vor gnädigste herrschaft incl. Zimmer und vor die Reutherwach zu bauen, dann zwey Nebenflügel, worin vor Kuchen, Keller, Conditorey, dann andere Errichtungen mehr nach dem Riss zu verfertigen".

Für die Anlage des neuen Schlosses hatte man einen Platz vor der eigentlichen alten Stadt ausersehen, wo schon zu Beginn des 17. Jahrhunderts (1626) Markgraf Christian einen Lustgarten angelegt hatte. Die reformierte Gemeinde, der diese Stelle wenige Jahre vor dem Schlossbrand zur Errichtung von Kirche und Pfarrhaus eingeräumt worden war, musste ihren Baugrund wieder an den Hof abtreten.

Schon im November des Jahres 1754 war der Mitteltrakt des Schlosses unter Dach. Hatte man den Bau vor allem auch deshalb so beschleunigt, weil für dieses Jahr der königliche Bruder der Markgräfin seinen Besuch angekündigt, so dürfte man in Bayreuth

78. Neues Schloss. Treppenhaus.

doch wohl einigermassen enttäuscht gewesen sein, als der König, unwillig darüber, dass man den alten Ahnensitz verlassen, sich weigerte, das neue Schloss zu besichtigen; er wisse schon, meinte er, wie es ausschaue, wie ein Schafstall!

Das herbe Urteil des Königs über St. Pierre's Schöpfung ist uns heute nicht mehr recht verständlich. Zweifellos hat der Bau manche Mängel, die jedoch mehr auf die übereilte Herstellung zurückzuführen sind. Vor allem die Unregelmässigkeit und Unübersichtlichkeit des Grundrisses! (Abb. 76). Hieran jedoch ist St. Pierre unschuldig, denn es war ihm zur Aufgabe gemacht worden, verschiedene bereits fertig stehende Bauten, wie das Pfarrhaus der reformierten Gemeinde, in seinen Schlossbau einzubeziehen. Unschön mögen allerdings damals die nur ein Stockwerk hohen Seitenflügel gewesen sein. Man hat ihnen zwar später, um den Eindruck der Hauptfront zu heben, ein zweites Geschoss aufgesetzt; noch heute aber sind hinter der lediglich dekorativen Mauer des Nordflügels die Balkenzüge des Daches eingesetzt. (Vgl. Abb. 83.)

Einen weiteren Fehler des Gebäudes hat man auch gleich nach der Fertigstellung zu verbessern versucht. Um nämlich den Eindruck, als stecke das Gebäude allzu tief im Boden, abzuschwächen, half man sich mit dem auch anderwärts geübten Kunstgriff der Niveaukorrektur: der ganze Schlossplatz wurde im Jahre 1757 „um ein paar Schuh" abgegraben!

79. Neues Schloss. Selbstporträt des Malers Johann Kupetzky.

Was aber vor allem verwunderlich ist, ist die Thatsache, dass St. Pierre bei seinem Schloss denselben Baugedanken und dieselben Details wiederholt, die er bereits an der Fassade des Opernhauses zur Anwendung gebracht hatte. Hier wie dort das beliebte System korinthischer Säulen über den drei rundbogigen Eingängen, hier derselbe Balkon auf den gleichen Konsolen, hier auch die den Mittelrisalit bekronende Attika mit ihrem Figurenschmuck.

Im Innern ist das sog. neue Schloss in Bayreuth grossen Teils noch recht gut erhalten und eingerichtet; dient es doch heute noch bei Gelegenheit fürstlicher Besuche als Absteigequartier.

Auf der Hofseite des Mittelbaues liegt noch nach alten Mustern das selbständige Treppenhaus, dessen zwei Treppenarme auf acht schönen jonischen Sandsteinsäulen ruhen. Die Dekoration der Durchfahrt mit den erzgegossenen Brunnengruppen und den Statuen wurde erst später beigefügt. (Abb. 78.) Im Erdgeschoss haben nur wenige Räume noch ihren ursprünglichen Schmuck erhalten. Der interessanteste Raum hier, das Badezimmer, ist leider heute dem allgemeinen Besuch nicht mehr zugänglich, obwohl er sicher eine sachgemässe Wiederherstellung verdiente.

80. Neues Schloss, Bildergallerie. Tierstück von Roos.

Die Bildergallerie, ebenfalls im Erdgeschoss (Abb. 82), ist ein länglicher, einfach dekorierter Raum, in dem sich ausser einigen Fürstenporträts, zwei grossen Schlachtenbildern aus den Thaten Karl Eugens und zwei Tierstücken von Roos (Abb. 80) nicht viel Bemerkenswertes erhalten hat. Die meisten besseren Gemälde sind in den einzelnen Zimmern des Schlosses verstreut.

Im nebenliegenden Gartenzimmer werden 12 Apostelporträts von Kupetzky und ein arg verdorbenes Selbstbildnis dieses Meisters aufbewahrt. (Abb. 79.) Ein lauschiges Plätzchen zum Kosen bietet die Muschelgrotte (Abb. 81) mit ihrem plätschernden Wasserspiel und der Krystallhöhle, über deren Eingang frech und froh der Liebesgott sitzt, verschwiegen den Finger an den Mund haltend.

Im ersten Stockwerk betreten wir durch ein Vorzimmer mit vielen Portrats des Ansbacher Hofes den Festsaal des Schlosses. Er nimmt den ganzen Mitteltrakt des Gebaudes ein und geht durch zwei Stockwerke, noch nach den Lehren der älteren italienischen Theoretiker quadratisch im Grundriss. Der ganze Charakter der Dekoration ist ebenfalls noch „à l'italienne", eine Gepflogenheit, die wir für den Festsaal fürstlicher Schlösser

81 Neues Schloss Muschelgrotte

allenthalben fast durch die ganze Rokokoperiode hindurch festgehalten sehen. (Abb. 84).

Gekuppelte weisse korinthische Pilaster mit Kanneluren tragen ein gut gezeichnetes, nicht verkröpftes Gebälk, das nur in seinem Konsolenfries wieder alle klassischen Anlehnungen abwirft; in den Metopen der brandenburgische Adler abwechselnd mit Lorbeerkränzen.

Ueber dem Gebälk rahmen in der Hohlkehle reizende Stukkornamente — gold auf dunkelblau — das Mittelstück der Decke ein, das einst mit einem oft gerühmten Plafondgemälde von Wilhelm Ernst Wunder, dem trefflichen Hofmaler des Markgrafen Friedrich, geschmückt war. Leider ist das Bild jetzt übertüncht; es soll jedoch, wie ich höre, in Bälde der Versuch zu einer Wiederaufdeckung und Restaurierung gemacht werden.

82. Neues Schloss. Bildergallerie.

Der rechte Flügel des Gebäudes enthält diesem Saal zunächst das sogenannte Gobelinszimmer, das mit schönen Teppichen ausgestattet ist. Soviel ich erfahren konnte, sind sie aus k. bayrischen Schlössern hierher gekommen; einer derselben trägt die Marke Brüssel. (Abb. 85 u. 89.) Decke und Supraportenumrahmung sind leider modern.

Wir können uns natürlich hier nicht mit eingehenden Beschreibungen eines jeden Zimmers, eines jeden Kunstgegenstandes aufhalten, so lockend und lohnend dies auch an sich wäre; es soll ja hier auch kein Inventar aller vorhandenen Kunstschätze gegeben werden, sondern nur, wie bereits betont, das Wesentliche herausgegriffen werden.

Es mag somit aus der Folge der nächsten drei Zimmer auch nur des Porträts der Markgräfin Friederike Sophie Wilhelmine (Tafel 11) besonders

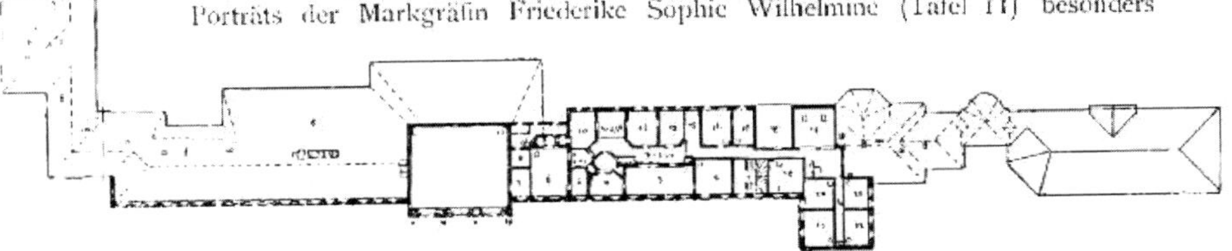

83. Neues Schloss. Grundriss des 2. Stockwerkes. Nach Plänen des k. Obersthofmeisterstabes München.

Tafel 10.

H. Brand, Hofphotograph, Bayreuth.

Neues Schloss. — Musikzimmer.

84. Neues Schloss. Festsaal.

85. Neues Schloss. Gobelinszimmer.

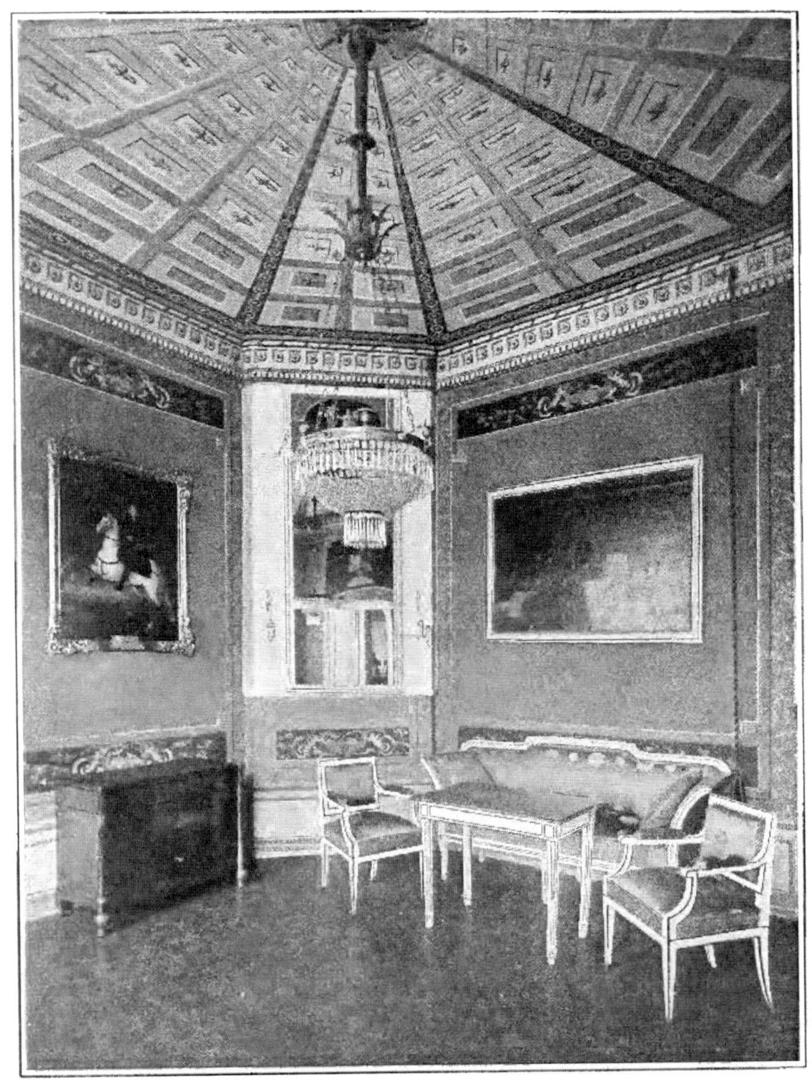

36. Neues Schloss. Salon.

gedacht werden. Das ganz reizende Bild stellt die Fürstin als ungefähr zweijähriges Kind dar, im Spitzenhemdchen, vom Purpur umhüllt. Der Meister dieses Kabinetstückes ist wohl bestimmt Antoine Pesne, den man einst den „Apelles von Berlin" genannt hat; besonders wurden seine Damenbildnisse gerühmt, denn er brachte das Kunststück fertig, solche Aufträge so auszuführen, dass die Porträts „alle sehr ähnlich, aber gleichzeitig auch unendlich viel schöner als die Originale waren".

87. Neues Schloss. Gartenzimmer

Eine einheitliche Einrichtung, die noch sehr gut erhalten ist, treffen wir erst wieder in Zimmer No. 33, das uns den heute so beliebten Biedermeierstil in seiner schönsten Blütezeit vor Augen führt. (Abb. 86). Interessant ist vor allem die Kassettendecke des Zimmers. Unter ähnlichen, auf Pappendeckel aufgezogenen Dekorationen war auch der ursprüngliche Wandschmuck der folgenden Zimmer verborgen, und es verdient allen Dank, dass man erst in den letzten Jahren die gerade ein Jahrhundert verborgenen Rokokoformen wieder ans Tageslicht brachte und in geschmackvoller Weise wiederherstellte.

Unter diesen neuentdeckten Zimmern ist besonders No. 34 beachtenswert, das als Gartensaal gedacht ist, allerdings nicht in der ausgesprochen naturalistischen Manier wie auf

88. Neues Schloss. Porträt des Markgrafen Friedrich. Gemalt von Francesco Pavona.

der Eremitage. Die Wände rahmt hier ein zierliches Spalier ein, an dem sich schlanke Schlingpflanzen in die Höhe ranken; dazwischen flattern wieder allerlei phantastische Vöglein. Die Decke nimmt ein starkvergoldetes Flachrelief ein mit figürlicher Darstellung und reichen pflanzlichen Motiven. Sämtliche Details sind mit bunter Bronze bemalt, einer für die Rokokodekoration charakteristischen und unentbehrlichen Farbe. (Abb. 87.)

89. Neues Schloss, Gobelinszimmer.

90. Neues Schloss, Blaues Zimmer.

Die in den einzelnen Zimmern des Schlosses verstreuten Porträts der fränkischen Hohenzollern möchte ich hier vereint besprechen, natürlich nur die wichtigsten herausgreifend. Voran steht neben dem bereits erwähnten Kinderporträt der Markgräfin das Bildnis des Markgrafen Friedrich von dem Italiener Francesco Pavona, der wie so viele

91. Neues Schloss. Spalierzimmer

seiner Fachgenossen auf seiner Kunstreise an Europas Fürstenhöfen auch nach Bayreuth gekommen war. Das Bild, das bis jetzt fälschlich als Porträt des Markgrafen Georg Wilhelm angesehen wurde, soll nach Angabe von Zeitgenossen das Bestgetroffene sein, das überhaupt von Friedrich vorhanden war; die Identifizierung gelang mir nach einem gleichzeitigen Stich

Taf. 11.

Neues Schloss. Markgräfin Friederike Sophie Wilhelmine als Kind.
Gemalt von Antoine Pesne.

des Venezianers Bartolomeo Folino in einer Privatsammlung. Ein anderes Porträt des Markgrafen Friedrich findet sich von der Hand des Malers J. G. Ziesenis (1743); das prächtige Repräsentationsbild des gleichen Fürsten in glänzendem Paradeharnisch und Staatsrock mit

92. Neues Schloss. Gobelin mit der Geschichte der Daphne.

überreicher Brokatstickerei, das der Hofmaler Matthias Heinrich Schnürer 1755 wohl als Probestück anfertigte, haben wir bereits oben kennen gelernt (Tafel 1).

Noch seien die Porträts zweier Bayreuther Prinzen hervorgehoben. Das erste stellt den zweiten Sohn Christians, Georg Albrecht, dar (geb. 1619, † 1666), von dem die jüngere Linie der Bayreuther Markgrafen abstammt (Abb. 100); das zweite ist ein Jugendbildnis Christian Ernsts von Willem Honthorst, das bis jetzt fälschlich für das Porträt eines „Markgrafen Albrecht" gehalten wurde. Das reizende Bild mag für sich selbst sprechen (Titelbild).

93. Neues Schloss. Decke mit Puttenfries (Detail).

Die Ansbacher Fürsten sind ebenfalls durch zahlreiche Bildnisse vertreten; so wurde u. A. der kunstsinnige Wilhelm Friedrich von seinem Hofmaler Karl Joh. Zierl 1704 für das Bayreuther Schloss porträtiert, sein Sohn, der „wilde Markgraf" Karl Wilhelm Friedrich, noch

94. Neues Schloss. Speisesaal.

als Erbprinz von dem vielbeschäftigten Kupetzky. Dem schon hier recht selbstbewusst auftretenden kleinen Mann trägt ein rotgekleideter Haidukenjunge den Fürstenmantel (Abb. 97).

Von anderen Hohenzollern-Porträts möchte ich besonders zwei interessante Bildnisse Friedrichs des Grossen anführen. Das eine stellt den jungen Fürsten noch als Kronprinzen dar und dürfte wohl eine Kopie nach Terborch sein; das zweite ist eine Wiederholung des berühmten Bildes von Joh. Georg Ziesenis, das — jetzt im k. Schloss zu Berlin — das einzige Porträt sein soll, zu dem der König gesessen hat (1771).

95. Neues Schloss. Spiegelbekrönung.

Die hintere Front dieses Flügels birgt das Musikzimmer, auch hier das Schmuckkästlein des Schlosses. Der Gedanke der Dekoration ist in der Hauptsache derselbe wie auf der Eremitage; nur ist hier die Auflösung der architektonischen Gliederung der Wandflächen noch weiter fortgeschritten (Tafel 10). Die Teilung in einzelne Felder ist weggefallen, die Frauenbildnisse durch Porträts von Mitgliedern der Bayreuther italienischen Opera oder der „Comédie française" ersetzt. An der Westwand, die unser Bild bringt, sind in den obersten Reihen dargestellt die Mitglieder der Oper Monsieur Giacomo Zaghini, Mademoiselle Cellarina, Monsieur Stefanino Leonardi, unten ein unbekannter „joueur des rôles comiques" und Madame Froment „comédienne à Bareith, jouante les reines et soubrettes en chef". Als Maler wird bei einzelnen Bildern Rolin genannt.

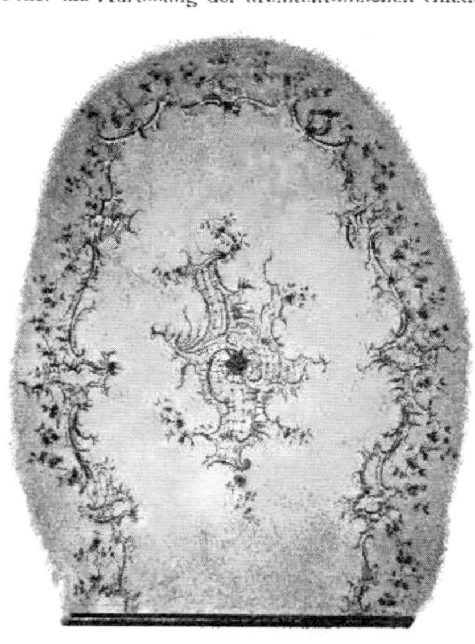

96. Neues Schloss. Zimmerdecke.

Die Farbengebung des ganzen Raumes ist Weiss und Gold mit Ausnahme der Decke, die in goldenem Stukkrahmen ein grosses Tableau bringt mit dem unvermeidlichen Orpheus in der Mitte. Zu Füssen sitzt dem Gott ein allerliebstes Bologneser Hündchen, der Liebling der Markgräfin. Die

Philosophin von Bayreuth, die der Lehre Decartes' von der Tierseele huldigte, hat hier ihren vierfüssigen Freund verewigen lassen, ebenso wie sie ihm in ihren Memoiren ein Plätzchen eingeräumt hat. Auch porträtieren liess sich die Fürstin einmal mit dem Hündchen und setzte ihm schliesslich im Park der Eremitage ein Grabdenkmal, das aber gar bald zu dem Bonmot Anlass gab: „Tombeau de chien, chien de tombeau".

Unter den kleineren Räumen auf der Rückseite des Schlosses nach dem Hofgarten ist besonders das sog. blaue Zimmer hervorzuheben, von dessen dunkelbrauner Vertäfelung sich sehr vorteilhaft die trefflich geschnitzten goldenen Lorbeerranken abheben; die Wände zieren ein paar gute Pastellbilder des Strassburger Malers Stolzer (1779). An solchen Gemälden mit allgemeinen Sujets ist übrigens das Bayreuther Schloss nicht sehr reich und die wenigen Bilder, die in den einzelnen Zimmern verstreut sind, sind künstlerisch nicht besonders wertvoll; erwähnt seien hier höchstens zwei Fruchtstücke von Pfeiler, ein Stilleben von F. W. Damm, mehrere biblische Sujets ebenfalls von Stolzer und ein paar unbedeutende Kopien nach Jan Fit.

67. Neues Schloss. Porträt des Erbprinzen Karl Wilhelm Friedrich von Ansbach (1718).

Sehr zierlich und elegant ist ferner das sog. Spalierzimmer ausgestattet; es ahmt in seiner Dekoration in ähnlicher Weise wie das Gartenzimmer eine Laube nach. An den Spalieren klettern zierliche Schlingpflanzen in die Höhe; Nischen und Papiertapeten mit chinesischen Landschaften füllen die Wände (Abb. 91).

Mit der gleichen Meisterschaft wie hier ist auch in dem hinteren Gobelinszimmer die Stukktechnik gehandhabt bei der Dekoration der Decke, die mit äusserst feinen Rocailleranken ohne viel pflanzliche Motive und Blumenschmuck geziert ist (Abb. 96). Die Wände dieses Raumes sind mit schönen Gobelins ausgestattet mit Darstellungen aus dem Sagenkreis des Altertums; sehr geschickt ist vor allem die Geschichte der Daphne behandelt (Abb. 92).

Den eigenartigsten Raum des ganzen Schlosses bildet jedoch zweifellos der Speisesaal, ebenfalls gegen den Hofgarten gelegen (Zimmer No. 17, Abb. 94). Der ganze lang-

98. Neues Schloss. Gartenfront mit Balkon.

gestreckte Saal ist bis zur Decke mit Vertäfelungen aus Zedernholz versehen, die an der Ruckwand durch flache Nischen, den gegenuber liegenden Fensteröffnungen entsprechend, gegliedert werden. Zwischen die einzelnen Nischen sind ebenfalls aus Cedern-

99. Neues Schloss. Aus dem Porzellan-Vorrat (Meissner Fabrik).

holz gefertigte Palmen gestellt, deren Stämme die natürliche Farbe und Struktur des Holzes zeigen, während die sorgfältigst geschnitzten Baumkronen stark vergoldet sind. Die

100. Neues Schloss.
Porträt des Markgrafen Georg Albrecht (geb. 1619).

Decke ist auch hier wieder himmelblau gehalten, von Vögeln, kleinen Drachen und ähnlichen Tieren belebt. Das lichte Blau harmoniert wunderbar mit dem tiefen, satten Braun des Cedernholzes, dessen Wirkung selbst wieder wohlthuend durch die reiche Vergoldung gehoben wird.

Von den Zimmern des oberen Stockwerkes ist eigentlich nur das erste bemerkenswert, und das nur wegen seiner Stukkdecke, die mit einem sehr gelungenen Puttenfries ausgestattet ist, wie ihn in ähnlicher Weise z. B. schon das Versailler Schloss in seinem „salle de l'œil-de-bœuf" anwendet.

Lustige, wohlgenährte Jungen vergnügen sich da an allerlei Spielen; da wird gewürfelt, „geschussert", geschaukelt oder Karten gespielt und Blindekuh oder „Ringelreihe". Auch auf der Decke tummeln und balgen sich die entzückend frechen Kerle mit liebenswürdiger Ungeniertheit (Abb. 93 u. 103). Martino Petrozzi ist wohl der Meister auch dieses anmutigen Kunstwerks.

101. Neues Schloss. Italienischer Bau.

Neben dem kaum fertiggestellten Schloss errichtete Markgraf Friedrich im Jahre 1759 ein neues Gebäude, den sog. italienischen Bau, mitten in einem „indianischen" Garten. Da St. Pierre kurz nach Vollendung des eigentlichen Schlosses von seinem Amt als

Tafel 12.

Neues Schloss. Italienischer Bau. Festsaal.

Hofbaumeister zurückgetreten und bald darauf gestorben ist, sind wohl die Pläne zu dem Neubau seinem Nachfolger Rudolf Heinrich Richter zuzuschreiben.

Das Aeussere des merkwürdigen zweigeschossigen Gebäudes zeigt teilweise schon die von den französischen Theoretikern der Akademie so arg geschmähte und verdammte

102. Neues Schloss. Blick in den Hofgarten.

Uebung, Motive der Innendekoration, wie Vasen, Putten, Blumenranken auf die Fassade zu übertragen (Abb. 101). Auch die Grundrissbildung ist nicht eben bedeutend. (Vgl. den Grundriss Abb. 83.)

Ein Prachtstück ist jedoch die Stukkierung des Hauptsaales, die sicher wieder von Petrozzi ausgeführt wurde. Mit ihrem konsequent durchgeführten Gebälk, ihren Teppichen in den Ochsenaugen und ihren mannigfachen Barockmotiven in den Detailformen erinnert diese Dekoration teilweise noch an ältere Vorbilder, was bei der Ausführung der Arbeiten durch einen Italiener nicht Wunder nehmen kann (Tafel 12). Daher wohl auch vor allem der Name „italienischer Bau".

Der Haupteffekt wird jedoch auch hier wieder durch die allenthalben verstreuten entzückenden Amorini erzielt, die wir an allen Werken Petrozzi's schon bewundern konnten. Da tummeln sie sich wieder in munterem Spiel an der Decke zwischen den einzelnen architektonischen Motiven, lächeln aus den Kartuschen über den Fensteröffnungen, machen sich's auf den Spiegelrahmen bequem oder zappeln lustig zwischen den Beinen der Pfeilertische.

Die ganz unversehrte Erhaltung des entzückenden Festraumes lässt den Reiz der einzigartigen Dekoration erst voll empfinden. Heute enthält das Gebäude unter der Bezeichnung „Schieferbau" die Amtsräume des k. Konsistoriums.

Dieses Gartenschloss verband der fürstliche Architekt Gontard, der Nachfolger Richters, erst unter Markgraf Friedrich Christian im Jahre 1764 durch „eine Communikation" mit dem eigentlichen Schlossgebäude. Neben dem noch von St. Pierre errichteten Balkon mit seinen schlanken Säulen und dem schöngearbeiteten Gitter baute Gontard einen kurzen Trakt mit nur drei Fensterachsen ein. Auch hier öffnet sich das erste Stockwerk auf einen Balkon; ihn tragen zwei mächtige Hermen, die zum Schlage ausholend sich gar grimmig anstarren (Abb. 98).

Den schönsten Schmuck der nach rückwärts gelegenen Zimmer des Schlosses bildet jedoch zweifellos die Aussicht in den Hofgarten, der hinter dem Gebäude sich ausdehnt (Abb. 102). Er wurde 1756 noch nach französischem Muster angelegt, 1789 jedoch unter Markgraf Alexander durch den aus Sachsen berufenen Hofgärtner Oertel im englischen Geschmack umgewandelt. Seine geraden Alleen aber hat er behalten, seine melancholischen Wasserbassins und sein Rundtempelchen und seine lauschigen Winkel im Grünen, wo epheuumwuchert verschlafene Steingötter träumen.

103. Neues Schloss. Detail aus dem Puttenfries.

# Kleinere Kirchen.

Um das altehrwürdige Gotteshaus der hl. Maria Magdalena zu Bayreuth war im Laufe des Mittelalters ein Kranz von Kapellen und kleinen Kirchlein entstanden, wie vorgeschobene Bollwerke um die trutzige Zitadelle. Da lag in unmittelbarer Nähe der Pfarrkirche der sog. Almosenkasten, ein schlichtes Totenkirchlein, nach Westen zu erhob sich die Kapelle zum hl. Kreuz, noch weiter draussen vor dem Weichbild der Stadt das Kirchlein zum hl. Grab. Am Westende des Marktplatzes stand hinter dem alten Rathaus die Spitalkirche und am Ufer des roten Mains gegen Norden zu war im „neuen Weg" dem hl. Leonhard eine Kapelle erbaut worden.

Mit fast allen diesen Gebäuden aber hat die Reformation aufgeräumt; das Kirchlein zum hl. Grab, die hl. Kreuzkapelle und St. Leonhard wurden fast in demselben Jahrzehnt abgerissen. Und was damals die fromme Zerstörungswut übrig gelassen hat, fiel der späteren Erneuerungssucht und dem Modernitätsdrang des 18. Jahrhunderts zum Opfer. Heute sind in Bayreuth — ausser der bereits eingehend besprochenen protestantischen Pfarrkirche — nur fünf eigentliche Kirchen vorhanden, die für unsere Studien in Betracht kommen, alle Bauten des 18. Jahrhunderts: die Ordenskirche in St. Georgen, das sog. Gravenreuther Stift ebenda, die Spitalkirche, die Schlosskapelle, jetzt katholische Pfarrkirche, und endlich die Friedhofkirche. Die frühere katholische Kirche, ein unbedeutender Bau St. Pierre's aus den Jahren 1746—1749, ist jetzt profaniert.

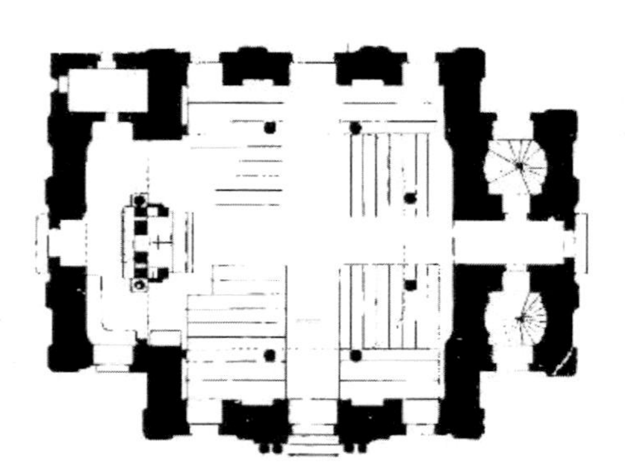

104. Ordenskirche in St. Georgen. Grundriss.

## Die Ordenskirche in St. Georgen.

In seiner neuen Stadt St. Georgen gründete der baulustige Markgraf Georg Wilhelm auch ein Gotteshaus, dem er nach seiner Mutter und nach seiner allerdings wenig religiösen Gemahlin den Namen Sophienkirche gab. Nachmals erhob er es zur Kapitelkirche des von ihm gestifteten Ordens „de la sincérité", des heutigen preussischen roten Adlerordens.

Am 18. April 1705 legte der damalige Erbprinz unter pomphaften Feierlichkeiten allerhöchstselbst den Grundstein zu seiner neuen Kirche; die Bauführung leitete vermutlich der Architekt des regierenden Markgrafen Christian Ernst, der preussische Ingenieur Gottfried von Gedeler. Im Jahre 1711 wurde die Kirche eingeweiht; der Turm jedoch erst durch Johann David Känz in den Jahren 1716—1718 errichtet.

Die heute noch wohlerhaltene Ordenskirche in St. Georgen ist ein schlichter Bau auf kreuzförmigem Grundriss (Abb. 104); bemerkenswerte Abweichungen von dem in

105 Ordenskirche in St. Georgen. Detail der Decke.

protestantischen Ländern damals üblichen Typus des einfach-praktischen Predigtsaales hat sie nicht aufzuweisen. Im Innern sind in den kurzen Armen des griechischen Kreuzes die Emporen angeordnet; dem barocken Altar aus grauem und weissen Marmor gegenüber liegt, wie üblich, die fürstliche Loge. Bemerkenswert ist jedoch die Stukkirung der Decke, eines der selbständigsten Werke der unter Christian Ernst herangebildeten Bayreuther Stukkatorenschule; der Meister ist hier wohl Johann Jakob Schöniger, der Stukkator des Residenzschlosses in Bayreuth. Die leider recht oft „restaurierten" Freskomalereien fertigte in den Jahren 1709—1711 der fürstliche Hofmaler Gabriel Schreyer gemeinschaftlich mit dem

„Kunstmaler" Martin Wild von Kemnath (Abb. 105). Die von einem anderen Hofmaler Martin Wilhelm Gläser in Godfried Schalkens Manier gemalten Passionen sind ebenfalls fast vollständig vernichtet; dagegen hat sich in der Sakristei der Kirche ein kleiner Schatz erhalten, ein Gemälde von H. S. Beham, über das oben bereits gesprochen wurde (Abb. 27).

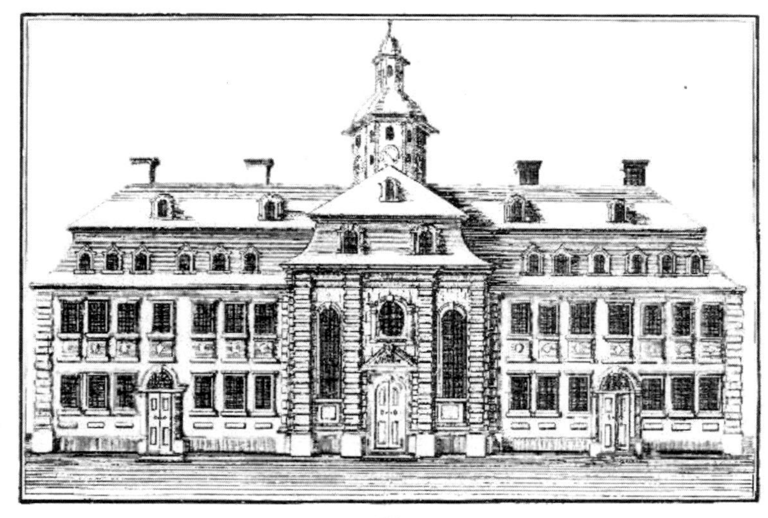

106. Gravenreuther Stift in St. Georgen.
Nach einer gleichzeitigen Kupferplatte. Sammlungen des historischen Verein. von Oberfranken.

## Die Gravenreuther Stiftskirche.

Die erste der neuen Kirchen, die während der Regierung des Markgrafen Friedrich in Bayreuth entstanden, ist der Betsaal in dem 1735 von Georg Christoph von Gravenreuth,

107. Schlosskirche. Detail der Deckendekoration. Stukkiert von Martino Petrozzi (um 1753).

einem Hofkavalier des Markgrafen, gestifteten sog. Gravenreuther Spital in St. Georgen. Am 10. November 1741 wurde der Grundstein gelegt; bereits Ende des nächsten Jahres konnte das Gebäude eingeweiht werden. Es ist vermutlich ein Werk des einheimischen

Bauinspektors Johann Georg Weiss, der in den vier Jahren zwischen dem Tod des Hofbaudirektors Joh. Friedrich Graël († 1739) und der Berufung des französischen Architekten St. Pierre (seit 1743) die oberste Bauleitung inne hatte.

Nicht ungeschickt ist im Mittel des langen zweistöckigen Gebäudes mit seinen einfachen Fensterstellungen die ausspringende Kapelle eingefügt, eingerahmt von kräftigen Rustikapilastern; ein Türmchen bekrönt das gut silhouettierte Mansarddach (Abb. 106 nach einer noch unveröffentlichten gleichzeitigen Kupferplatte).

Ueber dem sonst schmucklosen Eingang der Kirche sind die schönen Verse angebracht:

Bei Gottes Vaterhuld und Friedrichs Gnadenblicken
Ist dieser Stiftsbau zu solchen Stand gebracht.
Wenn nun des Höchsten Aug' darob mit Aufsicht wacht,
Wird dieses Stift sofort des Segens Loos beglücken.
Was Herr von Gravenreuth aus Lieb' zum Nächsten that,
Erwirbt ihm einen Ruhm, der wohl kein Ende hat.
Den 10. Oktober 1742.

Im Innern bietet nur die Deckendekoration Bemerkenswertes, ein grösseres Mittelbild von zierlichen Rocailleranken eingerahmt, kleinere Bilder in der Hohlkehle.

108. Spitalkirche. Erbaut von St. Pierre 1748.

### Die Spitalkirche.

An Stelle des alten Spitalkirchleins, das im Jahre 1576 von dem uns bereits bekannten Steinmetz Jörg Matthes errichtet worden war, erbaute der Hofarchitekt St. Pierre im fürstlichen Auftrag 1748 eine neue Kirche.

Durch den beschränkten Raum, der zu Gebote stand, war die Aufgabe etwas erschwert, aber trotzdem löst St. Pierre das ihm hier übertragene Problem, das so stark von seiner sonstigen Kunstübung abweicht, nicht eben ungeschickt, wenn sich auch der etwas barocke Fassadenaufbau, wie wir ihn besonders an belgischen Kirchen des 17. Jahrhunderts antreffen, nicht recht verträgt mit dem teilweise sehr akademisch zugeschnittenen Detail.

Auf hohem Fussgestell stehen sechs jonische Pilaster, zwischen denen die kartuschengekrönten Fenster angeordnet sind. Darüber ein gradliniger Giebel, im Feld das Auge Gottes von Wolken und Engelsköpfchen umgeben. Aus der Attika seitlich des Giebels mit ihren vier allegorischen Frauengestalten wächst etwas phantastisch der Turm empor (Abb. 108).

Das recht einfach gehaltene Innere der Kirche schmückt ein Deckenbild des oft genannten fürstlichen Hofmalers Wilhelm Ernst Wunder († 1787).

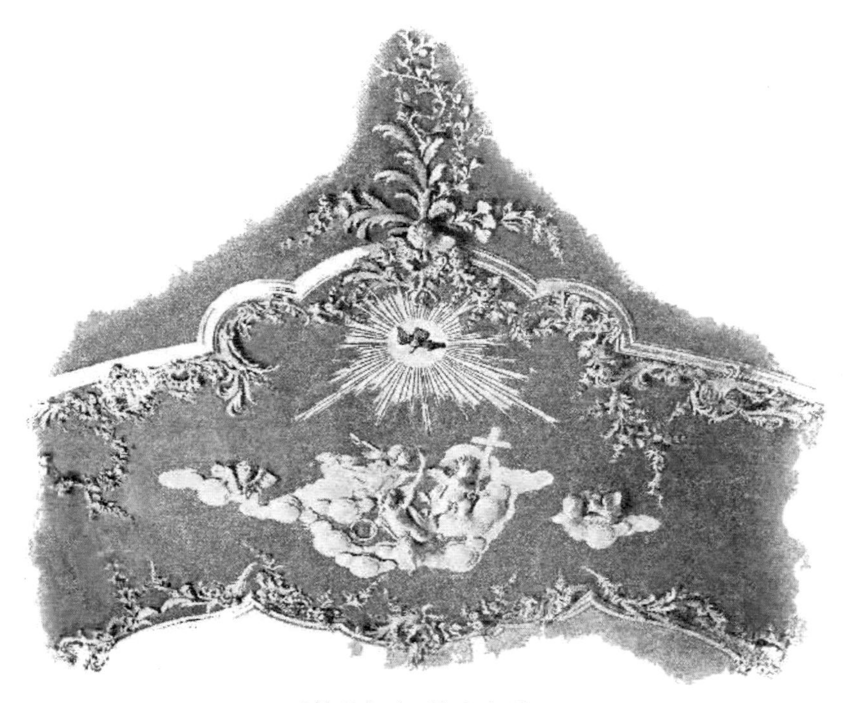

109. Schlosskirche. Detail der Deckendekoration.

## Die Schlosskirche.

Ebenfalls von St. Pierre wurde nach dem Brande, der im Jahre 1753 einen beträchtlichen Teil des fürstlichen Residenzschlosses in Asche gelegt hatte, die Schlosskirche erneuert. Schon am 26. März 1756 konnte sie wieder eingeweiht werden.

Die Fassade der neuen Schlosskirche mit ihrer nüchternen Lisenenarchitektur ist bezeichnend für St. Pierre's ausgesprochen klassicistische Schulung. Nur am Eingang gegen den Schlosshof setzen die Bauformen zu etwas reicherer Gestaltung an; aber hier harren heute noch die Details ihrer Vollendung.

Im Innern der Kirche dagegen feierte die Kunst der Rokokodekoration vor ihrem gänzlichen Verschwinden nochmals einen glänzenden Triumph. Mit staunenswerter Virtuosität hat der vortreffliche Martino Petrozzi, dessen Werke wir schon auf der Eremitage und im neuen Schloss bewundern konnten, auch hier gewaltet. Eine lustige kleine Welt von Putten, denen ihr würdiges Amt allerdings recht schwer zu fallen scheint, tummelt sich zwischen den zierlichsten

Rocailleranken; da knieen die Kleinen weinend vor den Leidenswerkzeugen des Heilands, dort bringen sie im jubelnden Chor die geheiligten Zeichen der triumphierenden Kirche. Wie man sieht, merkwürdige Vorwürfe für eine damals doch protestantische Kirche (Abb. 107, 109, 111, 112).

110. Schlosskirche. Fürstliche Gruft.

Wunders umfangreiches Deckenbild ist auch hier — ebenso wie im Festsaal des neuen Schlosses — übertüncht!

Und noch einen Schatz birgt die Schlosskapelle. Dem Altar gegenüber ist in den nüchternen Formen, die das Rokoko ablösten, die fürstliche Gruft errichtet (Abb. 110).

111. Schlosskirche. Detail der Deckendekoration.

In wuchtigem Marmorsarkophag ruht hier Markgraf Friedrich, der Vielgeliebte, ihm zur Seite seine unsterbliche Gemahlin und ihre einzige Tochter.

112. Schlosskirche. Detail der Deckendekoration

## Die Friedhofkirche.

Schon 1533 hatte man in Bayreuth mit dem uralten Brauch gebrochen, die Toten um die Hauptkirche zu begraben. Weit vor dem Mauergürtel der Stadt war dann ein neuer Friedhof angelegt und ein Gottesackerkirchlein erbaut worden. Auch an dessen Stelle trat im 18. Jahrhundert ein Neubau. Unter der Regierung des Markgrafen Alexander, der seit 1769 die Fürstentümer Bayreuth und Ansbach wieder vereinigt hatte, entstand hier eine neue, einfache Kapelle; der ausführende Architekt war wohl der damalige Leiter des Hofbaudepartements, der Thüringer Johann Gottlieb Riedel. Im Jahre 1781 wurde das erst 1779 begonnene Gebäude eingeweiht (Abb. 113).

Wie natürlich, hält auch diese Kirche im Grundriss das Prinzip des schlichten Predigtsaales fest (Abb. 114). Auch der Aufriss ist ebenso wie das Innere ganz einfach und schmucklos gehalten, entsprechend den stilistischen Grundsätzen des ausgehenden 18. Jahrhunderts, das so steif und gravitätisch, so kalt und nüchtern in seinen künstlerischen Ausdrucksformen ist, wie wenn es in armseligen Trauergewändern Busse thun wollte für all den lustigen leichtsinnigen Zauber des Rokoko.

Durch die für Bayreuth charakteristische Gepflogenheit, auf dem Friedhof kleine viereckige, meist schmucklose Häuschen als Gruftkapellen zu errichten, hat sich hier eine Reihe von Grabsteinen, besonders des 18. Jahrhunderts, unversehrt erhalten, die für die Geschichte der Bayreuther Bildhauerschule, wie sie Dieussart ins Leben gerufen und die

113. Ansicht der Friedhofkirche. Gleichzeitige Zeichnung. Sammlungen des historischen Vereins von Oberfranken.

Mitglieder der Familie Ränz weiter ausgebildet hatten, manch einen wertvollen Beitrag zu bieten vermag.

Um nicht zu weitläufig zu werden, muss ich mir hier versagen, auf Einzelheiten einzugehen; nur den Grabstein des fürstlichen Kammerrats Johann Hoenicka (v. J. 1704; Gruft No. 36) möchte ich als bezeichnendes Beispiel für die Grabsteinplastik des frühen 18. Jahrhunderts anführen (Abb. 115).

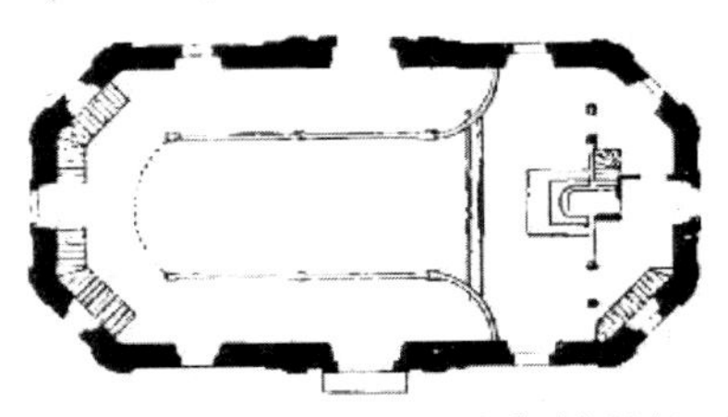

114. Friedhofkirche. Grundriss. Erbaut von Joh. Gottlieb Riedel 1779–1781.

Viel ist's ja allerdings auch sonst nicht, was sich an Originalität der Erfindung, an künstlerischer Gestaltungskraft oder Virtuosität der technischen Ausführung gerade besonders auszeichnet. Aber es ist immerhin recht interessant zu beobachten, wie die Phantasie der hier doch meist mehr handwerksmässig schaffenden Bildhauer sich immer wieder abmüht, den abgebrauchten künstlerischen Schlagworten einmal eine neue Seite abzugewinnen. Nicht dadurch, dass einer einmal irgend einen neuen selbständigen Gedanken hätte! Beileibe nicht! Mit den altehrwürdigen Requisiten der Grabsteinplastik wird flott weiter gewirtschaftet;

aber einmal erhofft man den Effekt dadurch, dass man alle die längst geläufigen Elemente in wildem Spiel aufeinander häuft, ein anderes mal durch das Gegenteil, durch sparsames Beschränken, und man ist schon befriedigt, wenn es gelungen, einmal eine etwas andere, vielleicht weniger alltäglich gewordene Art der Zusammenstellung zu finden für all' diese

115. Friedhof. Grabstein des Kammerrats Johann H[illegible]enicka (1704).

weinenden Putten, die trauernden Engel, die Aschenurnen und klapperdürren Knochenmänner. Das Ganze wird dann zusammengepappt mit dem meist recht flott gearbeiteten Kartuschenwerk, das oft stark noch an den berüchtigten Knorpelstil von der Mitte des 17. Jahrhunderts erinnert, und schliesslich, wenn's hoch kommt, bekrönt von einem kahlköpfigen Chronos mit Stundenglas und Hippe.

# Privatbauten.

Einer jeden grosseren Stadt hat irgend eine Stilperiode ihren charakteristischen unvergänglichen Stempel aufgedrückt und immer hat sich hier die politische oder wirtschaftliche Blüthezeit auch äusserlich in der Bauthätigkeit kundgegeben. Glück und Kunst gehen von Alters her Hand in Hand.

So auch in Bayreuth. Und wenn man München die Stadt Ludwigs I. genannt hat, mit demselben Recht kann man auch, um das persönliche Moment vor Allem festzuhalten, Bayreuth die Stadt des Markgrafen Friedrich nennen. Denn diesem Fürsten und seiner unermüdlichen Gemahlin verdankt die Stadt doch im Wesentlichen ihre heutige Gestalt, wenn auch seine Vorgänger und elementare Ereignisse seinen Bestrebungen schon während des 17. Jahrhunderts vorgearbeitet hatten.

Kurz nach seinem Regierungsantritt erliess Friedrich ein landesherrliches Dekret, das für die künstlerische Entwicklung der Hauptstadt von höchster Bedeutung wurde; um seiner Residenz „eine Zierde zu geben", gewahrte der Furst den Privatpersonen, die „nach einem vorher zu examinirenden Riss zu bauen gesonnen wären", überaus reiche Baugnaden.

116. Kaserne. Portal.

Er selbst aber gab allen das beste Beispiel. Schon der erste Bau, den er in Bayreuth aufführen liess nicht unmittelbar für Zwecke seines Hofhalts, die Reiterkaserne im sog. „neuen Weg", zeigt das rege künstlerische Interesse des Fürsten und sein Bestreben, auch bei Nutzbauten die architektonische Ausgestaltung nicht zu vernachlässigen. Da gleich nach Friedrichs Regierungsantritt Georg Wilhelms langjähriger Bauinspektor Ränz gestorben war, hatte der junge Fürst wohl durch Vermittlung seiner Gemahlin von Berlin als künstlerischen Leiter des Baudepartements den Architekten Johann Friedrich Grael berufen. Am 13. Februar 1736 war der talentierte Künstler als Hofbaudirektor in Dienst genommen worden; er starb jedoch schon 1740, kaum 32 Jahre alt. Die Ausführung seiner Plane blieb dem Bauinspektor Johann Georg Weiss überlassen, einem einheimischen Meister. Durch seinen Lehrer Martin Heinrich Boehme war Grael ein Schuler und Nachstreber Schlüters geworden; auch in seiner Bayreuther Thätigkeit kann er seine Berliner Schulung nicht verleugnen.

Graëls Kaserne in Bayreuth ist ein umfangreiches Gebäude mit drei Flügeln, die sich um einen Innenhof lagern. Merkwürdige Pilasterstellungen mit sonderbar gebildeten Kapitälen gliedern die Eckpavillons; der Mittelrisalit mit dem Haupteingang wird von einem Giebel mit Waffenschmuck bekrönt (Abb. 117). Eigenartig ist auch das kleine Portal nach der Strasse (Abb. 116) mit Trophäen und dem Namenszug des fürstlichen Erbauers.

Mit der Anstellung St. Pierre's als Bayreuther Hofarchitekt im Jahre 1743 waren dann neue Elemente auch in die bürgerliche Baukunst gekommen. Zwei Privathäuser vor allem dürfen wir dem französischen Meister zuschreiben; beide liegen, heute noch gut erhalten, einander in der Friedrichstrasse gegenüber (No. 2 und No. 7). In dieser Strasse, ebenfalls einer Schöpfung des Markgrafen, nach dem sie später verständiger Weise benannt wurde, erbaute sich von 1753—1754 der geheime Camerier Joh. Seb. Liebhardt eines der ersten grösseren Häuser. Ein dreistöckiger Mittelbau ist mit den beiden kleineren Nebenbauten durch einstöckige Seitenflügel verbunden, die mit einer Dekoration von dorischen Säulen und einer figurengeschmückten Attika ausgestattet sind. Sicher einer der reizvollsten Baugedanken St. Pierre's (Abb. 118).

117. Kaserne. Innenhof. Erbaut nach Plänen des Hofbaudirektors Joh. Friedrich Graël um 1740.

Das gegenüberliegende Haus (No. 7), einst Wohnung des fürstlichen Ministers Fritz Graf Ellrodt († 1765), ist etwas einfacher gehalten, ein zweistöckiges Gebäude mit kräftigem Hauptgesims, zu beiden Seiten des Thores ein Säulenvorbau mit Attikaaufsatz und Figurenschmuck (Abb. 119).

Als eigentlicher Hauptmeister der bürgerlichen Baukunst in Bayreuth ist jedoch der Schüler St. Pierre's, Karl Philipp Christian Gontard, zu bezeichnen. Der bedeutendste Künstler, der aus dem Bayreuther Kunstboden hervorgegangen ist, hat Gontard gar mannigfache Beurteilung erfahren. Ueber ein Jahrhundert lang war der Meister, den Friedrich der Grosse bald nach dem Tode des Markgrafen Friedrich an seinen Hof gezogen hatte, ganz vergessen, dann hat man ihn wieder einigermassen zur Geltung gebracht, dabei jedoch — wie es eben in solchen Fällen zu gehen pflegt — seine Thätigkeit für die höfische Kunst in Franken weit überschätzt. Es ist jetzt nachgewiesen, dass Gontard schon aus Altersrücksichten gar nicht beim Bau der Eremitage und des neuen Schlosses wesentlich beteiligt gewesen sein kann. Dagegen verdankt der Künstler, der unter Friedrich II. und Friedrich Wilhelm II. in Berlin eine sehr bedeutende Bauthätigkeit noch entfalten sollte, dem Markgrafen Friedrich und dessen Hofkünstlern seine vortreffliche Schulung. Die künstlerische Eigenart unseres

7*

Meisters erklärt sich erst, wenn wir berücksichtigen, dass der französische Architekt der streng klassicistischen Richtung seinen jungen Schüler nicht weniger beeinflusst hat, als der Bologneser Theatermaler und Dekorateur Carlo Bibiena, dem Gontard besonders noch während der Zeit, als er sich der Bühnenlaufbahn widmen wollte, untergeben war.

Gontards selbständige Thätigkeit in Bayreuth beginnt jedoch erst eigentlich nach dem Tod St. Pierre's im Jahre 1756; damals aber hatte Markgraf Friedrich seine vordem so rege Bauthätigkeit bereits fast vollständig eingestellt. Für den jungen Bayreuther

118. Privatbauten. Liebhardt- jetzt Steingraber-Haus. Erbaut von Josephe St. Pierre 1753–1754.

Architekten eröffnete sich jedoch sehr bald ein anderes Gebiet künstlerischer Bethätigung. Dem Beispiel, das der Fürst mit der Errichtung seiner prächtigen Schlossbauten gegeben hatte, folgten jetzt langsam hohe und niedere Hofbedienstete, und in raschem Nacheinander entstanden in Bayreuth verschiedene schöne Privathäuser.

Hier an diesen Gebäuden, die man bis jetzt eigentlich so gut wie gar nicht beachtet hat, ist der künstlerische Werdegang Gontards zu studieren; manche seiner Berliner Bauten sind eben überhaupt fast nicht zu verstehen, wenn man nicht seine Bayreuther Privathäuser zur Beurteilung beizieht.

Eines der ersten Hauser, die Gontard in Bayreuth errichtete, war wohl die jetzige Hofapotheke (Richard-Wagnerstrasse No. 2), ein Gebäude, das in seinen architektonischen Ausdrucksformen noch manche Anklänge an St. Pierres klassicistischen Stil aufweist; ein elegantes Pilastersystem gliedert die Hauptfassade, die mit einem etwas akademischen Giebel abschliesst (Abb. 120).

Pilasterstellung und Giebel finden wir auch noch bei einem andern Bau Gontards, den er für den Kammerherrn Graf Athenaris ausführte; heute dient das Gebäude der Gesellschaft Harmonie als Klubhaus. Hier ist jedoch schon der späterhin von Gontard gar oft angewandte Balkon auf dorischen Säulen mit den älteren Dekorationselementen vereinigt (Abb. 123).

119. Privatbauten. Ehemaliges Haus des fürstlichen Ministers Ellrodt.

Wohl aus keinem anderen Bau kann man die Anschauungen eines Architekten besser und leichter ablesen, als da, wo er vollständig alles nach seinem persönlichen Gutdunken einrichten konnte, bei seinem eigenem Heim, das man in manchen Fallen fast versucht wäre, als ein künstlerisches Glaubensbekenntnis zu bezeichnen.

Von seinem unermudlichen Mäcen Friedrich hatte Gontard einen Teil des abgebrannten alten Schlosses an der Nordostecke, wo der Flügel des Markgrafen Georg Friedrich gestanden hatte, als Bauplatz erhalten. Hier erbaute er für sich und seine zahlreiche Familie im Jahre 1759 ein nicht eben grosses Haus.

Die Zwitterstellung, die Gontard lange Zeit einnimmt zwischen dem italienischen Barock und dem französischen Klassicismus, und der zu Liebe man ihm „ein Studium des Altertums auf eigene Faust“ nachgesagt hat, lässt sich auch unschwer an seinem

seinem Bayreuther Heim erkennen. Im Grundriss schliesst sich das Gebäude französischen Mustern an und verwendet hier besonders die praktische Einteilung gleichzeitiger Landhäuser, wie sie z. B. die Villa Klein-Trianon Ludwigs XIV. im Park von Versailles aufweist (Abb. 122). In der architektonischen Ausgestaltung der Fassade dagegen muten die kräftige Profilierung aller Bauglieder und die starken Unterschneidungen ziemlich barock an, ebenso die schwellenden Festons von Blumen und Früchten unter den Fenster-

120. Privatbauten. Hofapotheke.

banken (Tafel 13). An St. Pierre's Liebhardts-Haus erinnert jedoch wieder der hier etwas unlogische Dachaufsatz mit dem Giebel.

Die reizenden Gartenanlagen, die das Gebäude auf zwei Seiten umgaben, sind heute leider so gut wie verschwunden, und der einzigartige Blick, den das Gebäude an dem sanft ansteigenden Gelände mitten im Grün noch bis vor wenigen Jahren bot, ist jetzt durch einen modernen Vorbau vollständig zerstört.

Wie sehr aber die Vorliebe gerade für den italienischen Barocco des 17. Jahrhunderts, die noch während der Herrschaftszeit des Rokoko allmählich wieder um sich zu greifen begann, auch auf die künstlerische Entwicklung Gontards eingewirkt hat, ersieht man am deutlichsten an dem Palais, das er für den fürstlichen Oberbaudirektor Freiherrn

121. Privatbauten. Sog. Herzogs-Palais. Erbaut von Gontard 1756.

Karl Ernst Friedrich von Reitzenstein von 1758 ab errichtete (Luitpoldplatz 15). Das Gebäude könnte, ohne den Gesammteindruck irgendwie zu beeinträchtigen, gerade so gut auf dem Korso in Rom stehen, so eng schliesst es sich an die römischen Barockpaläste an.

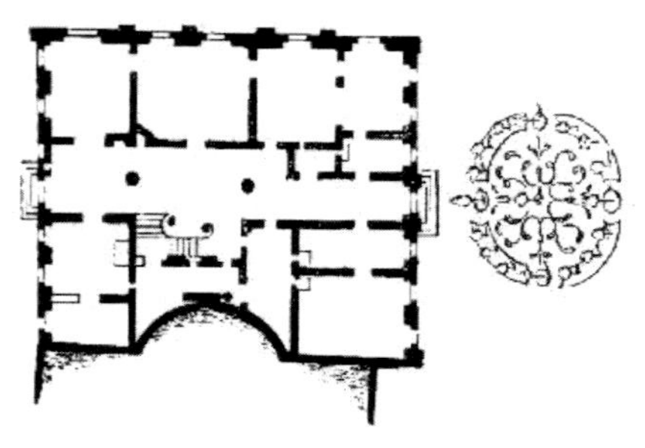

122. Privatbauten. Gontard-Haus. Grundriss.
Nach einem gleichzeitigen Plan. Sammlungen des historischen Vereins von Oberfranken

Als spezielles Vorbild möchte ich den Palazzo Salviati bezeichnen. Was bei dem Reitzenstein-Palais im Gegensatz zu den bereits besprochenen Bauten Gontards vor allem auffällt, ist der gänzliche Verzicht auf alle Ordnungen, durch die bisher der kunstlerische Effekt zu erzielen versucht wurde. Einfach und majestätisch wirkt das Gebäude nur durch die klassische Ruhe seiner Fensterstellungen und den rhythmischen Wechsel gerader und runder Verdachungen; auch in seinen mächtigen Gesimsen bringt es bezeichnender Weise wieder

123. Privatbauten. Gebäude der Gesellschaft „Harmonie".

den ausgesprochenen Horizontalismus der italienischen Architektur zur Geltung (Abb. 121).

Fast die gleichen Motive sogar bis auf den mit besonderer Vorliebe angewandten Zahnschnitt des Hauptgesimses verwertet Gontard bei einem weiteren Bau der gleichen

Tafel 13.

H. Brand, Hofphotograph, Bayreuth.

**Privatbauten. Gontard-Haus.**

Erbaut von K. Ph. Chr. Gontard 1759.

124. Privatbauten. Ehemaliges Haus des Dekorationsinspektors Spindler.

Zeit, bei dem sog. Jägerhaus, das der arbeitsame Architekt wieder im fürstlichen Auftrag errichtete. Jetzt ist hier das k. Bezirksamt untergebracht (Abb. 125).

Noch etwas wuchtiger in seinen Detailformen ist das Haus gehalten, das Gontard für den Dekorationsinspektor Karl Spindler im Jahre 1761 errichtete (Ludwigstrasse No. 29). Auch hier ist wieder auf jeden Effekt durch Ordnungen verzichtet; für die

125. Sog. Jägerhaus; jetzt k. Bezirksamt.

selbständige Gestaltungskraft des Architekten jedoch sind die Fensterrahmen im Erdgeschoss bezeichnend (Abb. 124). Das Gebäude zeigt besonders viel Aehnlichkeit mit dem ebenfalls von Gontard errichteten sog. Noack'schen Haus in Potsdam (Humboldstrasse No. 4).

# Die Fantaisie.

Um der verdriesslichen Situation während der Erbauung des neuen Schlosses zu entgehen, hatte Markgraf Friedrich und seine Gemahlin mit einem Gefolge von über 50 Personen im Herbst des Jahres 1754 eine Reise nach Südfrankreich und Italien angetreten, die für die weitere Regierungszeit des Markgrafen bedeutungsvoll werden sollte. In Kolmar traf man mit Voltaire zusammen; dann ging es von Lyon über Avignon nach Rom und Neapel. In der ewigen Stadt wurde die „Hoheit" von Papst

126. Fantaisie. Rückseite des Schlosses.

Benedikt XIV. in einer Privataudienz empfangen, und in der Campagna brach sie am Grabmal Virgils einen Lorbeerzweig, um ihn ihrem Bruder mit einem reizenden Gedicht zuzuschicken. Im August 1755 kehrte das fürstliche Paar von seiner Italienfahrt, reich mit Kunstschätzen beladen, wieder zurück in seine kleine Residenz. Dort wurden nun sofort die Anregungen, die der Aufenthalt in dem klassischen Lande der Kunst gebracht hatte, verwertet. Schon zu Beginn des Jahres 1756 gründete Markgraf Friedrich, selbstverständlich auch hier auf Veranlassung seiner hochstrebenden Gemahlin, in Bayreuth neben der bereits bestehenden Musik-Akademie auch eine „Akademie der freien Künste". Leider sollte dem gut geleiteten Institut kein langer Bestand beschieden sein.

Ebenso wie diese italienische Reise auf die Ausbildung des jungen Architekten Gontard, der das Fürstenpaar begleitet hatte, von tiefgehendem Einfluss geworden ist, blieb sie auch auf die künstlerischen Liebhabereien der Markgräfin nicht ohne bedeutende Einwirkung. Zwei neue fürstliche Gebäude in Bayreuth verdanken dieser Aenderung in der architektonischen Anschauungsweise ihre Entstehung.

Neben dem bereits besprochenen sog. „italienischen Bau" im Hofgarten des neuen Schlosses ist es vor allem das fürstliche Lustschloss zu Donndorf, dessen Anlage auf italienische Vorbilder zurückzuführen ist. Die weltberühmten römischen Villen, welche die Fürstin

127. Fantaisie. Mittelbau mit der sog. Loggia.

jetzt durch Augenschein kennen gelernt hatte, gaben direkt die Anregung für den Neubau in der nordischen Residenz. Vielleicht war es gerade die Villa Pamfili, die der Markgräfin den Gedanken für ihre neue Schöpfung eingegeben hat; gar viele Anlehnungen, die sich jedoch heute im Detail nicht mehr verfolgen lassen, scheinen für diese Annahme zu sprechen.

Kaum aber war der Grundstein zu dem Bayreuther Belrespiro gelegt worden, als ein Ereignis eintrat, das der ganzen blendenden Herrlichkeit des Musenhofes in der fränkischen Rokokostadt mit einem Schlag ein Ende machte. Am 18. Oktober 1758 starb die schon lange Zeit kränkelnde Markgräfin, am gleichen Tage, an dem ihr königlicher Bruder die Niederlage bei Hochkirch erlitt. Wie ein Blitzstrahl traf der Tod der Fürstin in die

Taf. 14. H. Brand, Hofphotograph, Bayreuth.

Fantasie. Vorsaal.

Idylle des kleinen Hofes. Nun häuften sich plötzlich Schwierigkeiten und Kalamitäten nach all der sorglosen Lebensfreude der vergangenen Jahre. Die Beschwerden des siebenjährigen Krieges, in dem der Markgraf immer zwischen dem Reich und seinem Schwager hin und herschwankte, und die Sorge für seine einzige Tochter, die mit dem Herzog Karl Eugen von Württemberg in unglücklicher Ehe lebte, zogen den Fürsten naturgemäss für lange Zeit ab von seiner Freude an rauschenden Vergnügungen und glänzenden Festlichkeiten. Es wurde stille in Bayreuth.

Auch die Kunst hatte unter der allgemein gedrückten Stimmung schwer zu leiden; sogar die Bauthätigkeit wurde jetzt wieder auf einige Zeit wenigstens eingestellt. Wenn sich der Fürst auch bereits im Jahre 1759 mit Sophie Karoline Marie von Braunschweig-Wolffenbüttel wieder verheiratete und seine junge Gemahlin mit allem Pomp in ihre neue Residenz einführte — die Glanzzeit des Fürstentums, die ein einziger Wille wie durch

128. Fantaisie. Aus dem Garten.

ein Zauberwort hervorgerufen, war für immer dahin. Zwar nahm man auch in Donndorf, das der Fürst jetzt seiner zweiten Gattin geschenkt hatte, die Bauarbeiten wieder auf. Aber wie ein Verhängnis ist's, dass auch Markgraf Friedrich die Vollendung des Baues nicht erleben sollte. Der kunstsinnige Fürst starb plötzlich am 17. Februar 1763, zwei Tage nachdem der Hubertusburger Friede dem leidigen siebenjährigen Krieg ein Ende gemacht hatte.

Mit dem Tode des Landesherrn trat in der Bauthätigkeit in Donndorf naturgemäss wieder eine längere Unterbrechung ein. Erst unter der Regierung seines Nachfolgers Friedrich Christian (1763—1769) wurde dann im Jahre 1765 das kleine Schlösschen endlich vollendet. Die Bauleitung hatte wohl auch hier der Bauinspektor Rudolf Heinrich Richter, der schon im Jahre 1754 an St. Pierre's Stelle getreten war.

Auch späterhin hatte das neue Schlösschen gar mannigfache, merkwürdige Schicksale. Lange Zeit diente es der einzigen Tochter des Markgrafen Friedrich, der Herzogin Elisabeth Friederike Sophie (Porträt Abb. 7), die sich von ihrem Gatten Karl Eugen von Württemberg hatte scheiden lassen, als Aufenthaltsort. Diese Fürstin war es auch, die der ganzen Anlage den heutigen Namen Fantaisie gab. Jahrelang hielt sie dort glänzenden Hof.

Nach dem Tode der Herzogin im Jahre 1780 fiel das schöne Besitztum an die fürstliche Kammer zurück; erst 1793 kam es dann an die Gemahlin des Herzogs Friedrich Eugen von Württemberg, der von König Friedrich Wilhelm II. als Generalstatthalter der fränkischen Fürstentümer aufgestellt worden war, nachdem der letzte Markgraf von Ansbach und Bayreuth, Alexander, seine Lande an Preussen abgetreten hatte (1791). Die kunstsinnige Herzogin Sophie Dorothea verschönerte ebenso, wie es die vormalige Besitzerin gethan hatte, Schloss und Park.

Auch der Sohn des Herzogs Friedrich Eugen, Alexander Friedrich, an den im Jahre 1828 die Fantaisie übergegangen war, wusste durch umfangreiche Neuanlagen sich einen prächtigen Herrensitz zu schaffen; das Schloss selbst baute er in den Jahren 1851 und 1852 vollständig um. Heute ist der ausgedehnte Bésitz Privateigentum.

Das Schloss Fantaisie ist jetzt für den Gesamteindruck ein Bau im Sinne englischer Landsitze mit gothisierenden Details, die in der Mitte des 19. Jahrhunderts mit besonderer Vorliebe auch für die profane Baukunst Anwendung fanden (Abb. 126). An die älteren Teile im Mittel des Gebäudes sind heute nach rückwärts zwei Treppentürme, nach vorn eine Art offene Loggia angebaut (Abb. 127). Auch im Innern hat sich eigentlich nur in der Dekoration des Gartensaals ein beachtenswertes Kunstwerk noch aus der Zeit Friedrich Eugens erhalten; figürliche Stuccoreliefs zwischen kannelierte Pilaster eingestellt, darüber ein schön ornamentierter Konsolenfries, ebenfalls mit kleinen Reliefs (Tafel 14).

Den prächtigen Rahmen für das Schloss bildet der ausgedehnte Park, der in der Hauptsache schon gegen Ende des 18. Jahrhunderts — im englischen Sinne natürlich — angelegt wurde. Unmittelbar vor und hinter dem Schlosse folgen zwar noch heute teilweise die Blumenparterres strengen französischen Regeln (Abb. 128). An die Zeiten aber, da Bayreuth der Mittelpunkt eines kleinen selbständigen Reiches war und die Residenz eines kunstsinnigen Fürstengeschlechts, erinnert uns heute auf der Fantaisie weder der Park mit seinen hundertjährigen Baumriesen, noch das elegante Schlösschen, trotzdem das Ganze doch wieder eine Schöpfung jener einzigen Frau gewesen ist, der Bayreuth ein gut Teil seiner Geschichte zu danken hat.

Wir sind am Ende unserer Wanderung durch die ehemalige Hohenzollern-Residenz angelangt. Vier Jahrhunderte regen künstlerischen Schaffens haben wir miterlebt und auf einem kleinen, eng begrenzten Gebiet den grossen Gesamtgang der Entwicklung kennen gelernt.

Wie kaum in einer zweiten Stadt sind in Bayreuth Vergangenheit und Gegenwart unvermittelt aufeinander getroffen. Das Ende der Hohenzollernherrschaft bedeutete den Beginn einer stillen, einsamen Periode. Wenige Dezennien erst ist's her, dass die Stadt aus dieser beschaulichen Kleinstadtruhe, in der sie ein Jahrhundert fast geschlummert, aufgeweckt wurde. Und erst mit dem neuen Leben ist auch die Erinnerung wieder wach geworden an die alten Tage des Glanzes, an die festesfrohe Zeit unter den fränkischen Markgrafen. So waren es auch meist unbetretene Pfade, die wir auf unserer Wanderung einschlagen durften, fast verwischten Spuren mussten wir nachgehen und konnten so gar manches wieder aufsuchen und neu entdecken, was — einst bewundert und angestaunt — später lange vergessen und verborgen gelegen hatte, fast wie ein verwunschenes Schloss mitten im Märchenwald.

# Künstler-Verzeichnis.

A. — Architekt; B. — Bildhauer; D. — Dekorateur; K. — Kupferstecher; M. — Maler; St. — Stukkator.

# BERICHTIGUNG.

Tafel 4 l. statt Neues Schloss: Altes Schloss (Kanzleibibliothek).
Seite 24 l. statt Bartel Beham: Hans Sebald Beham.